COLLECTION
FOLIO ESSAIS

Jean Clottes

Pourquoi l'art préhistorique ?

Gallimard

Conservateur général du Patrimoine (honoraire), Jean Clottes est expert international pour l'art rupestre auprès de l'ICOMOS et de l'UNESCO.

À la mémoire de ma femme, Renée Clottes

Introduction

Les hommes des Temps glaciaires ont pénétré dans les grottes profondes pour y dessiner et s'y livrer à de mystérieuses cérémonies, dont parois et sols portent à l'occasion les traces. Ils ont aussi orné les parois de certains abris où ils habitaient de leurs gravures, peintures et sculptures représentant le plus souvent des animaux. Parfois, ce furent sur des roches isolées dans la nature (Fornols Haut, dans les Pyrénées-Orientales) ou au bord de rivières (Foz Côa au Portugal, Siega Verde en Espagne) que des gravures se sont exceptionnellement conservées. Tenter d'approcher les raisons qui guidèrent ces gens peut paraître une gageure. Ils sont si loin de nous et cette distance immense les fait paraître si étranges que la recherche de leurs motivations et, à plus forte raison, celle de la signification de leurs dessins semble d'emblée vouée à l'échec.

J'ai très longtemps partagé ce scepticisme, qui est celui de la plupart de mes collègues. La question gênante du « Pourquoi ? » est apparemment insoluble.

Mais tous les problèmes ne le sont-ils pas tant qu'on ne s'y attaque pas ? Nombre de spécialistes, la majorité sans doute, sont tentés d'esquiver celui-ci. Soit ils l'évacuent en ne l'abordant jamais ; ils s'attachent alors à étudier le « Quoi ? » (description et étude des thèmes représentés, que l'on veut aussi complètes et « objectives » que possible), le « Quand ? » (problèmes de datation et de chronologie) et le « Comment » (étude minutieuse des techniques utilisées). Soit ils se contentent d'explications un peu courtes, même si elles enferment toujours une part de vérité : « Ils représentaient et pérennisaient leurs mythes ». Dans le pire des cas, certains ont recours à la dérision et au sarcasme à l'égard de ceux qui proposent des hypothèses interprétatives (Clottes et Lewis-Williams 2007)[1].

Depuis une quinzaine d'années, je me suis particulièrement intéressé aux problèmes ardus de l'interprétation, et cela pour trois raisons majeures.

Après une longue carrière de chercheur essentiellement fondée sur des fouilles archéologiques, surtout en grottes et en abris, où j'ai approché concrètement les modes de vie des Paléolithiques,

1. Depuis la parution de cet ouvrage, où nous avons recensé les objections à nos hypothèses et la virulence étonnante des attaques à leur égard, les choses n'ont guère changé. Dans un ouvrage paru fin 2009, Jean-Loïc Le Quellec, par exemple, qualifie mes travaux de « manie » et de « marotte qui ne motive, chez ses plus éminents collègues, que de vives critiques ou un silence poli » (Le Quellec 2009, p. 236).

sinon leurs façons de penser, j'avais envie d'en savoir plus sur leurs croyances et leurs conceptions du monde, telles qu'elles devaient s'exprimer dans les grottes ornées, bien mieux sans doute que ce que l'on pouvait en saisir dans les outillages et les restes de leurs activités journalières révélés par les fouilles. Dans la caverne d'Enlène (Montesquieu-Avantès, Ariège), j'avais été confronté à un art mobilier magdalénien d'une richesse extrême, fait de plaquettes de pierre gravées, d'os et de bois de renne gravés ou sculptés, de parures de toutes sortes. Pourquoi cette accumulation d'objets dans ces lieux ? Dans quel cadre conceptuel avaient-ils été conçus et fabriqués ? Les grottes ornées des Pyrénées, sur lesquelles j'avais longtemps travaillé (Niaux, le Réseau Clastres), celle du Placard en Charente, la grotte Cosquer à Marseille et quelques autres avaient également éveillé ma curiosité insatisfaite.

Pendant ces années, les hasards de ma carrière ont fait que j'ai beaucoup voyagé, sur tous les continents. Au cours de ces périples, guidé et instruit par mes collègues, j'ai pu voir de très nombreux sites d'art rupestre. Ce furent et ce sont toujours des éléments de comparaison utiles et même indispensables. Surtout, il me fut donné de discuter longuement avec les chercheurs des divers pays où je me rendis et de lire leurs publications dans les langues que je maîtrise (surtout l'anglais et l'espagnol). Les traditions relatives à ces arts holocènes (c'est-à-dire postérieurs à la dernière glaciation et donc relativement récents) sont quelquefois conservées. Quant aux populations locales, Aborigènes australiens ou Indiens des Amériques par exemple, si elles ont parfois préservé de précieuses connaissances anciennes, elles ont surtout gardé un état d'esprit, une attitude vis-à-vis de la nature et du monde qui n'est pas la nôtre et qui remonte à la nuit des temps. J'ai énormément appris — et je continue sans cesse à apprendre... — lors de contacts et de conversations avec eux, ainsi que par des recherches bibliographiques sur les comportements tels qu'ils furent racontés par missionnaires, explorateurs et ethnologues. Peu à peu ma réflexion a mûri.

Le troisième élément, déterminant, fut ma rencontre avec David Lewis-Williams et avec ses recherches. Ce préhistorien sud-africain étudie depuis longtemps l'art, la religion et les coutumes des Boschimans du sud de l'Afrique. Il eut l'idée que l'art des Paléolithiques, comme celui des artistes San, avait pu être réalisé dans le cadre d'une religion de type chamanique. Associé à son collègue Thomas Dowson, il publia un article qui fit grand bruit (Lewis-Williams et Dowson 1988). Je m'y intéressai, comme bien d'autres, car il rendait compte de nombreux faits, concernant les grottes et leur art, qui m'intriguaient depuis longtemps. Une collaboration naquit, et une amitié. Nos travaux communs donnèrent lieu à des publications, livres et articles

(Lewis-Williams et Clottes 1996, 1998a, b ; Clottes et Lewis-Williams 1996, 1997a, b, 2000, 2001a, b, 2009). Je ne cessai depuis lors de réfléchir à ces questions et de les approfondir de mon côté, à ma manière, autant que faire se pouvait (Clottes 1998, 1999, 2000b, 2001b, 2003a, b, c, 2004a, b, c, 2005a, 2006, 2007a, b, c, 2008, 2009).

Ces réflexions se nourrirent de divers apports, inextricablement liés. Au cours de mes voyages, les rencontres avec les descendants de ceux qui gravèrent ou peignirent sur les roches furent sans conteste les moments les plus riches. Toutefois, les spécialistes régionaux, mes collègues, qui les fréquentent parfois depuis de nombreuses années, me révélèrent des aspects imprévus de leurs modes de pensée et de leur art. Ils me donnèrent aussi des informations précises sur des témoignages anciens, souvent publiés dans des ouvrages ou des articles obscurs. Il arrivait que certaines remarques éclairassent inopinément un mystère qui m'avait intrigué dans l'art des cavernes, jamais loin de mes pensées. J'en fis état, à l'occasion, dans quelques articles spécialisés. Surtout, je m'en servis pour mes cours[1] et conférences, et je pus constater l'intérêt du public pour ces récits et pour leur apport à une meilleure connaissance de l'art pariétal paléolithique.

1. Cours « intensifs » sur l'art rupestre (25 à 30 heures) dispensés aux universités de Neuchâtel (Suisse), Gerona (Espagne) et Victoria (Vancouver Island, Canada).

L'idée naquit alors[1] de les coucher sur le papier afin de toucher, au-delà du cercle étroit des spécialistes, ceux qui s'intéressent à l'art des Temps glaciaires et à l'art rupestre en général. J'ai souhaité leur montrer, VOUS montrer, comment l'on pouvait approcher les modes de pensée et les conceptions du monde de civilisations depuis longtemps disparues, et le faire avec prudence et en respectant les contraintes d'une démarche scientifique (cf. chapitre I). Je m'y suis efforcé en écoutant, en observant et en analysant avec respect et attention leurs échos lointains dans les pratiques et les croyances de peuples plus près de nous, mais dont, il n'y a pas si longtemps encore, les modes de vie ressemblaient beaucoup plus à ceux de leurs lointains ancêtres qu'aux nôtres[2].

1. Je fus amicalement poussé à écrire cet ouvrage personnel, où anecdotes et expériences diverses seraient racontées pour éclairer l'art pariétal, par le précédent président de la Leakey Foundation, mon ami Bill Wirthlin.

2. Pour ce livre, il m'est arrivé de reprendre des extraits d'articles personnels publiés dans diverses revues dans la mesure où ils s'appliquaient aux thèmes traités. Leurs références sont données en bibliographie.

Chapitre premier

COMMENT APPROCHER L'ART DES CAVERNES ET DES ABRIS ?

Tout art est message. Il peut s'adresser à une collectivité plus ou moins étendue, dont les connaissances varient en fonction de l'appartenance à un même groupe ou à un groupe différent, en fonction aussi de l'âge, du sexe, des degrés d'initiation, du statut social de chacun et de bien d'autres paramètres. Il peut formuler un avertissement ou un interdit à l'attention des membres du groupe ou de certains d'entre eux, ou à celle de personnes extérieures à lui, voire à des ennemis potentiels (« on ne passe pas »). Il peut aussi raconter une histoire, profane ou sacrée, pérenniser de hauts faits réels ou mythiques ou encore n'avoir d'autre rôle que la manifestation ou l'affirmation d'une présence (« c'est moi » ou « c'est nous »), individuelle ou collective. C'est le cas des graffiti. Parfois, il ne s'adresse pas aux hommes mais à la (ou aux) divinité(s) et il s'efforce alors d'établir un lien, de quelque nature qu'il puisse être, avec le monde autre, peut-être pour capter le pouvoir d'esprits ou de dieux censés vivre dans la roche ou dans le monde mystérieux au-delà du voile perméable constitué par la paroi rocheuse entre l'univers des vivants et celui des redoutables puissances surnaturelles.

Toutes ces significations et bien d'autres sans doute sont envisageables lorsque l'on traite d'un art préhistorique, d'un art « fossile » qui ne peut plus être expliqué dans ses nuances et ses complexités par ceux qui l'ont créé, par leurs contemporains ou par leurs successeurs. On conçoit la difficulté de l'entreprise lorsqu'il s'agit d'approcher ces questions de signification des millénaires après la disparition des sociétés qui lui ont donné naissance.

UN EMPIRISME TROMPEUR ET SANS AMBITION

La tentation est donc forte d'abandonner toute tentative ou de ne pas s'y risquer. Des positions pessimistes à des degrés divers ont été exprimées, surtout depuis un quart de siècle. « La connaissance précise des significations est hors du domaine de l'archéologie de l'art préhistorique qui doit modestement se satisfaire d'appréhender des *structures* plutôt qu'à proprement parler le sens des figurations qu'elle étudie » (Lorblanchet 1988, p. 282). Certains vont plus loin et prônent l'abandon de toute recherche dans ce domaine : « Un nombre croissant de chercheurs ont décidé d'abandonner la vaine quête des significations » (Bahn 1998, p. 171). « L'interprétation de l'art reste en dehors des possibilités de la science, et il est à présumer qu'il en sera toujours ainsi », car « la connaissance empirique du monde physique est la seule forme de connaissance qui nous soit accessible » (Chakravarty et Bednarik 1997, p. 196 et 195).

L'alternative des pessimistes serait donc de se contenter de décrire « objectivement » des faits, voire des structures, et d'en tirer des explications immédiates les plus simples possibles. Non seulement cette position n'est pas satisfaisante par son manque d'ambition, mais surtout elle est dangereuse par son empirisme trompeur. Les empiristes, en effet, prétendent à l'objectivité et ils affirment leur liberté vis-à-vis de toute hypothèse préalable, mais il est clair qu'ils se leurrent, fût-ce inconsciemment, comme cela a été abondamment démontré par les philosophes des sciences : « L'observation absolument objective est à ranger parmi les mythes et fantasmes majeurs de la science, car nous ne pouvons voir que ce qui a déjà sa place dans notre espace mental, et toute description inclut une interprétation » (Gould 1998, p. 72)[1]. Confrontés à l'infinité

1. « *Utterly unbiased observation must rank as a primary myth and shibboleth of science, for we can only see what fits into our mental space, and all description includes interpretation.* »

de la réalité matérielle, nous sommes à l'évidence dans l'impossibilité de faire un choix parmi les innombrables alternatives qui s'offrent à nous sans avoir auparavant admis ou décidé que tel paramètre sera important et que tel autre ne le sera pas, c'est-à-dire avoir préféré une hypothèse à une autre. Cela fut clairement exposé par Bronislaw Malinovski dès 1944 : « Il n'est pas de description qui soit vierge de théorie » (Malinovski 1944, 1994 p. 13, p. 16). « Observer, c'est choisir, c'est classer, c'est isoler en fonction de la théorie » (*Id.*, p. 16).

Le danger de l'empirisme est donc double : d'une part, la prétendue objectivité qu'il revendique n'est en fait que la mise en œuvre implicite d'hypothèses et de théories communément acceptées par le milieu contemporain, le plus souvent sans avoir été débattues ni même formulées, comme si elles allaient de soi. D'autre part, il entraîne une certaine stérilisation de la recherche, que l'on réduit à la description en rejetant ce qui a sous-tendu la création des œuvres.

Et pourtant, malgré dangers et difficultés, le but ultime de l'archéologie est ou devrait être la compréhension des phénomènes, autrement dit la recherche des significations. D'ailleurs, depuis les premières découvertes d'un art paléolithique au XIXe siècle et dans les décennies qui ont suivi, les tentatives d'explication n'ont pas manqué, tant il est vrai que la question du « pourquoi » est l'une des premières qui se pose au chercheur ou même au simple spectateur confronté à ces images mystérieuses, que leur antiquité rend d'autant plus troublantes.

LES SIGNIFICATIONS SUPPOSÉES DE L'ART PALÉOLITHIQUE

Lorsque, il y a environ un siècle et demi, des objets ornés furent découverts dans des niveaux paléolithiques, la surprise fut grande, car « ces œuvres d'art s'accord[ai]ent mal avec l'état de barbarie inculte dans lequel nous nous représentions ces peuplades aborigènes » (Lartet et Christy 1864, p. 264).

Les premières hypothèses[1] furent simples, à l'image d'une vie censée être idyllique, tournée uniquement vers la chasse et les loisirs. Gravures et sculptures n'auraient eu d'autre but que d'orner des armes et des outils, pour le plaisir, par besoin inné d'expression esthétique. C'est la théorie dite de L'ART POUR L'ART. L'art, gratuit, se suffisait à

1. Ces hypothèses ont maintes fois été développées dans la littérature spécialisée. Nous en donnons ici un aperçu, pour mieux situer les problèmes et l'état de la recherche. Pour de plus amples détails, il est conseillé de se reporter en particulier à Laming-Emperaire 1962 ; Ucko et Rosenfeld 1966 ; Groenen 1994 ; Delporte 1990 ; Clottes et Lewis-Williams 1996 p. 61-79, 2007 p. 69-91.

lui-même. Cette conception, défendue en particulier, à la fin du XIXe siècle, par Gabriel de Mortillet, athée militant qui s'opposait à toute idée de religion, allait de pair avec l'idée que l'on se faisait des « bons sauvages », qui disposaient de suffisamment de temps libre pour s'adonner aux arts, dans la mesure où ils le pouvaient et avec les moyens qui étaient les leurs. Elle ne dura pas, devant les contradictions qu'elle suscitait.

Deux arguments majeurs lui furent opposés qui contribuèrent à son abandon, surtout après que l'art des cavernes profondes fut découvert et révélé, d'abord à Altamira (Espagne) en 1879, avant d'être communément admis en 1902, lorsque les découvertes des Combarelles et de Font-de-Gaume en Dordogne (1901), firent revenir Émile Cartailhac sur ses doutes à propos de l'authenticité d'Altamira et lui firent publier son célèbre « Mea culpa d'un sceptique » (Cartailhac 1902). D'une part, pourquoi aller faire de tels dessins au fond de grottes où nul n'habitait ? Si l'art a pour but une communication, celle-ci était pour le moins improbable dans les lieux choisis, à moins que leur rôle soit autre que celui de simple réceptacle de dessins destinés à être vus et admirés par des contemporains, et dans ce cas l'art pour l'art n'en rend pas compte. D'autre part, les témoignages ethnologiques commençaient à affluer d'autres continents (surtout l'Afrique et l'Australie), témoignant d'une pensée beaucoup plus complexe, chez les peuples censément « primitifs », que celle envisagée. L'art de ces peuples lointains tenait le plus souvent une place majeure dans leurs pratiques cultuelles.

Occasionnellement, cette hypothèse refait toutefois surface, soit dans le public, dans l'ignorance des arguments ci-dessus mentionnés (j'entends parfois, dans des conférences : « Pourquoi ne pas dire tout simplement qu'ils dessinaient dans les grottes parce qu'ils aimaient le faire ? ») soit, plus rarement, dans le milieu académique. Son dernier avatar fut la publication controversée, en 1987, d'un universitaire américain, John Halverson. Dans une grande revue américaine, *Current Anthropology*, il critiqua les diverses interprétations subséquentes de l'art des cavernes et il s'efforça vainement de ressusciter ce que, se méfiant des connotations chargées du terme « art », il préférait appeler « la représentation pour la représentation ». Il se basait essentiellement sur l'absence de preuves formelles du caractère magique des représentations et même, rejoignant en cela Gabriel de Mortillet, de l'existence d'une forme quelconque de religion au Paléolithique (Halverson 1987 : p. 63-71 pour son article, p. 71-82 pour les commentaires et critiques de onze auteurs distincts, et p. 82-89 pour sa réponse).

De nombreux auteurs, devant les indiscutables qualités visuelles de l'art des cavernes, ont cependant insisté sur le fait que sa réalisation impliquait des connaissances précises, la maîtrise de techniques sophistiquées, une recherche et même une jouissance esthétique de la part des artistes. Sans être de « l'art pour l'art », il s'agit alors du sentiment artistique et de sa mise en œuvre. Cela n'est pas sans conséquences et nous y reviendrons à propos des chamanes et de leur formation.

Le TOTÉMISME a brièvement tenté certains préhistoriens, comme Salomon Reinach, au début du XXe siècle, et il en a influencé bien d'autres. Il se base sur une corrélation étroite qu'un groupe humain établit entre lui-même ou certains de ses membres et une ou des espèce(s) animale(s) ou végétale(s) particulière(s). La personne ou le groupe, caractérisés par leur totem, lui attribue des pouvoirs, le respecte et le vénère, s'abstenant par exemple de le chasser.

Trois critiques principales, plus ou moins fondées, furent adressées à cette hypothèse. La représentation d'animaux atteints par des flèches ou autres armes de jet, dont on connaît des exemples dans les cavernes (Niaux, Les Trois-Frères, plus récemment Cosquer), serait incompatible avec la vénération due à l'animal-totem. Surtout, aucune grotte ornée majeure n'est uniquement dédiée à une seule espèce comme l'on aurait pu s'y attendre (on aurait eu alors « la caverne du Lion », celle « de l'Ours » ou « du Bouquetin »...). Dans certaines, cependant, un animal particulier domine, soit numériquement (le mammouth à Rouffignac, le bison à Niaux), soit par les proportions qui lui furent données (les aurochs de Lascaux). À l'inverse, le bestiaire des cavernes, c'est-à-dire l'ensemble des représentations animales qui s'y trouvent, est assez peu varié, alors que les possibilités de choix, sans même parler de la flore, étaient immenses. Comme André Leroi-Gourhan le fit remarquer, il faudrait, pour qu'il s'agisse de totems, « considérer que toutes les sociétés paléolithiques, divisées de la même manière, comportaient un clan du bison, un du cheval, un du bouquetin. Une telle interprétation n'est pas impossible, mais elle n'est pas forcément impliquée par les faits eux-mêmes » (Leroi-Gourhan 1964, p. 147).

Finalement, au fil du siècle écoulé, le totémisme n'eut guère de succès, sans doute parce que, sans être à exclure dans certains cas, il ne pouvait fournir l'explication unique recherchée alors pour les phénomènes complexes observés.

La MAGIE dite SYMPATHIQUE implique une relation fondamentale, à proprement parler vitale, entre l'image et son sujet. En agissant sur l'image, on agira sur le sujet figuré, qu'il s'agisse d'une personne ou d'un animal. Cette théorie est celle qui eut le plus de succès depuis la révélation de l'art des cavernes. Le premier qui la formula fut également Salomon Reinach, dans un article paru en 1903 au titre éloquent : « L'Art et la Magie à propos des peintures et des gravures de l'Âge du Renne » (Reinach 1903). Reprise, élaborée et répandue par l'abbé Henri Breuil et le comte Henri Bégouën

(Breuil 1952 ; Bégouën 1924, 1939), elle connut une fortune étonnante, pendant des décennies, sous le nom générique de MAGIE DE LA CHASSE.

Le comte Bégouën en a défini précisément les bases et l'usage, même si de nos jours nous récusons le terme de « primitifs », qu'on l'applique, comme le fait Bégouën de manière répétée, à des peuples traditionnels ou à des cultures préhistoriques : « C'est une idée généralement répandue chez tous les peuples primitifs, que la représentation de tout être vivant est, en quelque sorte, une émanation même de cet être et que l'homme qui a en sa possession l'image de cet être a déjà un certain pouvoir sur lui. (...) On peut donc admettre que les hommes primitifs croyaient, eux aussi, que le fait de représenter un animal le mettait déjà, en quelque sorte, sous leur domination, et que, maîtres ainsi de sa figure, de son double, ils pouvaient plus facilement se rendre maîtres de l'animal lui-même » (Bégouën 1924, p. 423).

L'art était donc magique et utilitaire. Les objets décorés de figures animales pouvaient servir d'amulettes ou de talismans. Quant aux dessins au fond des cavernes, ils n'étaient pas destinés à être vus : on les faisait pour influer sur la réalité au travers de sa représentation. La réalisation de l'œuvre l'emportait donc sur le résultat et sur sa visibilité par le commun des mortels. Cela expliquait les multiples superpositions de figures sur les mêmes parois, où chaque cérémonie magique rajoutait des images qui finissaient par s'entremêler de manière inextricable et par rendre les panneaux quasiment illisibles. « Une fois que cet acte était accompli, (...) le dessin n'avait plus d'importance » (Bégouën 1939, p. 211).

Cette magie avait trois volets majeurs. En premier lieu, d'où son nom familier, faciliter la chasse des grands herbivores qui constituaient le gibier habituel et la rendre fructueuse. On envoûtait ces animaux par le dessin et par les marques de flèches et de blessures que l'on apposait sur eux. Certains étaient représentés incomplets afin de diminuer ainsi leurs possibilités de défense. Dans ce cadre conceptuel, ce que nous appelons à présent des « signes géométriques » était interprété comme des armes ou comme des pièges. Les humains étaient les sorciers. Ceux que nous qualifions de « créatures composites », présentant à la fois des caractéristiques humaines et animales (Les Trois-Frères) (fig. 1), étaient revêtus de peaux de bêtes ou dotés d'attributs animaux (cornes, queues, griffes) pour mieux capter leurs qualités et leur force. Ils pouvaient aussi représenter des dieux régnant sur la faune.

La seconde forme de magie, dite « magie de la fertilité », visait à multiplier le gibier, ce qui expliquait les dessins de femelles pleines et les nombreux animaux dépourvus de marques de blessures.

La « magie de la destruction » avait pour but d'éliminer les animaux nuisibles, tels les lions ou les

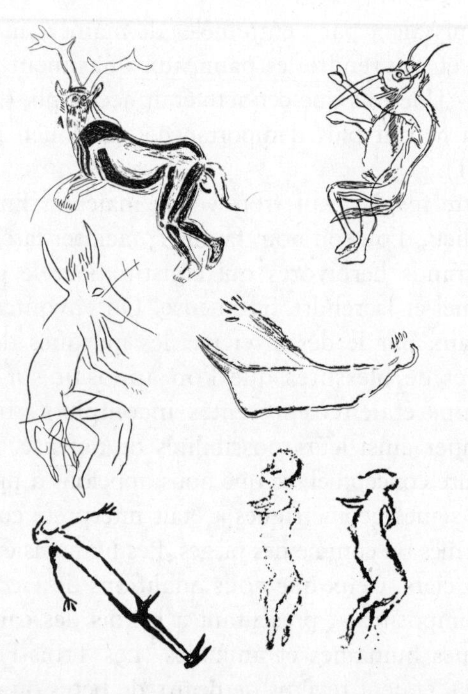

Fig. 1. Êtres composites, en partie humains, en partie animaux. E*n haut* : les deux « Sorciers » des Trois-Frères (Ariège) (relevés H. Breuil). A*u milieu* : à gauche, le « Sorcier » de Gabillou (Dordogne) (relevé J. Gaussen complété) ; à droite : l'« Homme tué » de Cosquer (Bouches-du-Rhône), sans le harpon qui le traverse (d'après photo). E*n bas* : à gauche, l'homme à tête d'oiseau de la Scène du Puits de Lascaux (Dordogne) ; à droite, les hommes percés de traits (non représentés ici), à tête d'oiseau et bras étranges de Pech-Merle et Cougnac, ce dernier redressé pour comparaison avec celui de Pech-Merle (d'après photos).

ours, que l'on connaissait alors dans quelques grottes, comme celles de Montespan ou des Trois-Frères. Cette hypothèse était quelque peu contradictoire avec la précédente, puisque dans un cas on représentait des animaux pour qu'ils se multiplient, alors que dans l'autre on le faisait pour s'en débarrasser.

Dans la seconde moitié du XXe siècle, certaines inconséquences de cette explication, comme cette dernière, furent mises en évidence et les nouvelles recherches et découvertes en ont contredit certains aspects.

Par exemple, les animaux marqués de signes en forme de flèches, qui devraient logiquement dominer, sont de fait peu nombreux et cantonnés à certaines grottes, alors que d'autres en sont entièrement dépourvues. Plus grave, les fouilles dans les entrées de grottes ornées ou dans des grottes ou abris qui leur sont associés ont révélé que la faune chassée et consommée ne correspondait pas étroitement au bestiaire peint ou gravé, comme on aurait pu le penser. Si, à Niaux dans l'Ariège, le bison représente plus de la moitié des animaux dessinés, on se serait attendu à ce que les auteurs des œuvres, les Magdaléniens de la grotte de La Vache, tout près de là, soient des chasseurs de bisons et non, comme c'est le cas, que leurs proies fussent essentiellement des bouquetins (Clottes et Delporte 2003). Cette observation sur la discordance entre animaux chassés et animaux figurés est trop constante pour résulter d'un hasard fortuit. L'observation de

Claude Lévi-Strauss, en d'autres contextes, vient à l'esprit : « Il ne suffit pas qu'un aliment soit bon à manger, encore faut-il qu'il soit bon à penser »...

L'explication, qui se voulait globale, ne rendait pas compte d'un grand nombre d'éléments présents dans les grottes, qu'il s'agisse des mains négatives, des humains indéterminés, ou encore des animaux composites, sortes de chimères qui n'existent pas dans la nature et dont les auteurs ne pouvaient donc souhaiter ni la multiplication ni la disparition.

Certaines des observations des tenants de cette hypothèse ont cependant été confirmées par les découvertes du demi-siècle écoulé et ne sont pas sans intérêt. Nous verrons (chapitre III) que l'on constate dans les grottes une double logique, celle du spectaculaire, dans des salles où des cérémonies ont pu se dérouler avec des participants ou des spectateurs plus ou moins nombreux (Salle des Taureaux de Lascaux, Salon Noir de Niaux), et celle des lieux retirés, où seule une personne ou deux pouvaient avoir accès en même temps et où les œuvres sont très peu visibles (Camarin du Portel, fig. 15 ; Diverticule des Félins de Lascaux). Dans ce dernier cas, c'est bien l'action de graver ou de peindre qui importe, plutôt que l'effet produit.

À la base de la magie sympathique, une idée fondamentale se retrouve dans toutes les cultures traditionnelles et fait donc partie des modes de pensée universels de l'espèce humaine. C'est la croyance qu'il est possible, par des prières, des offrandes ou en l'espèce par des cérémonies, d'influencer directement les forces surnaturelles qui régissent notre quotidien. Les moyens employés différeront, naturellement, d'une culture à une autre, tout comme diffèrent les croyances, mais la suggestion que l'art pourrait être un de ces moyens privilégiés, compte tenu de l'importance qui s'attache à l'image, reste parfaitement crédible.

Dans la seconde moitié du XXe siècle, à partir des années soixante, des tentatives d'explication dans UNE OPTIQUE STRUCTURALISTE ont été avancées par Max Raphael, précurseur en la matière (Raphael 1945), et surtout par Annette Laming-Emperaire et André Leroi-Gourhan (Laming-Emperaire 1962 ; Leroi-Gourhan 1965), qui les développèrent et les firent connaître. Sous des formes diverses, elles continuent de nos jours. L'idée de base fut de rejeter toute comparaison avec les peuples traditionnels, chacun d'une originalité irréductible, et d'en revenir aux cavernes elles-mêmes et à leur contenu pour y rechercher des structures dans leur organisation. Les œuvres faisaient l'objet d'un classement, en fonction des espèces animales et des catégories de signes représentées. Il fallait les identifier précisément, les dénombrer et étudier leurs répartitions spatiales, en fonction de trois éléments majeurs : les autres œuvres (par exemple, les répartitions respectives des chevaux et des bisons, ou de tels ou tels signes, les uns par rapport aux autres) ;

la topographie de la grotte (entrée, fond, passages, diverticules, panneaux centraux, etc.) ; la morphologie des parois (fissures perçues comme femelles, panneaux, reliefs). Le travail de recherche fit pour la première fois appel à la statistique, indispensable étant donné le nombre des paramètres et la multiplication des possibilités de combinaisons.

Les progrès furent considérables. On s'aperçut qu'animaux et signes n'avaient pas des répartitions aléatoires. Ainsi, les bovinés (bisons, aurochs) et les chevaux voisinaient dans des proportions qui excluaient le hasard et on les trouvait de préférence en position centrale. Ces constantes devaient relever de certaines idées directrices. Leroi-Gourhan, comme Laming-Emperaire à ses débuts, en déduisit que le système de pensée paléolithique était binaire. Ils y virent logiquement un symbolisme sexuel, où animaux et signes auraient une valeur mâle ou femelle, à la fois opposée et complémentaire. Ce système, qui devait durer de vingt à vingt-cinq mille ans étant donné les similitudes perceptibles d'une grotte à l'autre pendant toute cette longue période, matérialisait une conception du monde. Il fallait donc considérer l'« ensemble de l'art paléolithique comme l'expression de concepts sur l'organisation naturelle et surnaturelle (qui ne pouvait faire qu'un dans la pensée paléolithique) du monde vivant » (Leroi-Gourhan 1965, p. 120).

Mais pourquoi les Paléolithiques seraient-ils allés dessiner leurs mythes essentiellement inchangés, au moins dans leur structure, tout au fond de cavernes inhabitées ? Cette question primordiale, à laquelle s'efforçaient de répondre les tenants de la magie de la chasse, ne reçoit pas de réponse dans le cadre de la théorie structuraliste.

Les conceptions structuralistes furent critiquées, en raison, entre autres, de la trop grande subjectivité dans la détermination des associations (deux images situées à plusieurs mètres de distance, par exemple à Niaux, peuvent-elles être considérées comme associées et complémentaires ?) et de postulats discutables : à supposer que les animaux aient une valeur symbolique générale, comment expliquer qu'ils aient été dessinés avec tous les détails permettant de reconnaître l'âge, le sexe, ou les attitudes ? Nous reviendrons sur ce problème majeur. Pourquoi tant de bisons mâles si le bison représentait un principe femelle ? Les galeries de nombreuses cavernes se prêtaient mal aux subdivisions proposées, qui entraient néanmoins dans les statistiques. Enfin et surtout, les récentes découvertes (celle de Chauvet en particulier) ne confirmaient pas les schémas proposés.

La méthode sur laquelle ils se fondent fut néanmoins adoptée par une majorité de chercheurs[1] et

1. L'optique structuraliste et les méthodes qu'elle implique ont même été poursuivies et développées par certains des disciples d'André Leroi-Gourhan (Vialou 1986, Sauvet et Wlodarczyk 2008).

l'on continue à dénombrer les bisons, les chevaux et les autres, ainsi qu'à prendre en compte la caverne elle-même dans l'étude de l'art.

L'hypothèse selon laquelle les hommes du Paléolithique auraient eu UNE RELIGION DE TYPE CHAMANIQUE et créé leur art dans le cadre de telles croyances, fut émise par l'historien des religions Mircea Eliade, au début des années cinquante (Eliade 1951). Elle fut reprise, sans grand succès, par divers chercheurs au cours de la seconde moitié du XXe siècle (Lommel 1967a et b ; La Barre 1972 ; Halifax 1982 ; Smith 1992). Enfin, elle a été considérablement développée et renforcée par les nombreux travaux de David Lewis-Williams depuis près d'un quart de siècle (Lewis-Williams et Dowson 1988, 1990 ; Lewis-Williams 1997, 2002). Depuis 1995, fréquemment en association avec ce dernier (Clottes et Lewis-Williams 1996, 1997a, b, 2009 ; Lewis-Williams et Clottes 1996, 1998a, b), je me suis efforcé de la confronter aux réalités du monde souterrain et de son exploitation par les hommes du Paléolithique (Clottes 1998, 1999, 2003a et c, 2004a, b, c, 2005a, 2007b et c).

Le chamanisme, attesté sur tous les continents et majoritairement lié à des économies de chasseurs, a pour base la croyance selon laquelle l'esprit de certaines personnes, les chamanes en particulier, mais parfois d'autres, peuvent sortir de leur corps, voyager entre les mondes et accéder directement aux forces surnaturelles qui gouvernent les choses de la vie dans notre monde à nous. Ces mondes sont ordinairement étagés ou superposés (Vitebsky 1995, 1997). Cet au-delà peut différer considérablement d'un peuple à un autre. Il a une géographie particulière et présente ses dangers, ses habitants et ses obstacles propres. Tout cela s'apprend. Il peut se trouver dans le ciel (Tukanos de Colombie), dans l'eau (Nootka de l'île Victoria, au Canada), ou encore dans la roche et le monde souterrain (nombreux exemples dans les Amériques). Dans le monde-autre ou dans ses niveaux distincts, le (ou la) chamane rencontrera des esprits, souvent sous forme animale, avec lesquels il (ou elle) dialoguera et négociera. Il recherchera une âme volée pour la rendre à son propriétaire. Il prédira l'avenir. Il luttera parfois avec d'autres chamanes « mauvais ». Il s'efforcera de régler les problèmes du quotidien et de rétablir une harmonie rompue. Ses fonctions comprennent guérir les malades, amener la pluie bienfaisante, permettre et favoriser la chasse.

Le processus fonctionne dans les deux sens, puisque l'on peut également recevoir la visite d'entités de l'au-delà, que l'on qualifie généralement d'esprits auxiliaires, afin d'en être aidés. Cet esprit a souvent l'aspect d'un animal et le chamane qui le reçoit en est littéralement transformé. Les chamanes sont ainsi des médiateurs entre le monde de la vie courante et celui ou ceux des esprits pour tous les aspects de l'existence.

Les visions constituent donc l'un des aspects majeurs du chamanisme. Elles peuvent être suscitées de multiples façons, et pas seulement avec des substances hallucinogènes comme beaucoup le croient à tort. Le jeûne prolongé, la fatigue, le manque de sommeil, la fièvre et la maladie, des sons monotones répétés (le tambour, les battements de mains), la danse frénétique, la concentration intense, sont susceptibles d'induire des transes, de même que ce que l'on appelle la déprivation sensorielle, c'est-à-dire l'absence ou la réduction drastique de stimuli extérieurs. Par exemple, des personnes qui recherchent des visions se rendront dans un désert, ou dans un endroit particulièrement isolé, et y resteront très longtemps, jusqu'à ce que la vision vienne à eux. Certains des lieux où ils ont déjà eu cette expérience, voire les images qui s'y trouvent, peuvent par la suite jouer le rôle de catalyseurs, en déclenchant la transe beaucoup plus rapidement. Il existe des « inducteurs et des relanceurs de rêve », qui sont parfois des images « assez simples (croix, étoiles, sphères, taches de couleur) » (Lemaire 1993, p. 166).

Le contenu des visions, très variable, dépend de trois facteurs principaux : la personnalité et la vie de celui ou de celle qui les perçoit ; sa culture, susceptible de conditionner l'hallucination lorsque la transe fait l'objet d'un long apprentissage, comme c'est le cas dans les sociétés chamaniques ; enfin, les constantes neurophysiologiques. À ces dernières on peut attribuer certains phénomènes récurrents comme la lévitation et la sensation de vol, la permanence des signes entoptiques, la fréquence des êtres composites, mi-humains mi-animaux, ou encore la perception d'un tunnel ou d'un tourbillon qui transporte l'âme dans un monde différent.

Ce sont, au premier chef, les données neurophysiologiques qui ont déterminé la position de Lewis-Williams et Dowson dans leur article fondateur (Lewis-Williams et Dowson 1988). Les hommes des temps glaciaires étaient semblables à nous, avec le même cerveau et le même système nerveux. Il était donc logique de penser qu'ils devaient eux aussi avoir des visions répondant aux mêmes constantes et que cela pouvait se traduire dans les dessins qu'ils ont laissés. Ainsi, les nombreux signes géométriques, tels que nuages de points, zigzags ou autres présents sur les parois des grottes, pourraient correspondre aux signes entoptiques qui accompagnent souvent la transe.

L'usage prudent de l'analogie ethnographique, surtout avec les pratiques des peuples chasseurs, est l'un des autres fondements majeurs de l'hypothèse chamanique. Par exemple, dans le monde entier, les grottes profondes sont considérées comme un lieu surnaturel, domaine des esprits, des morts ou des dieux, dont on ne peut braver les dangers que dans un but précis et exceptionnel (Clottes et Lewis-Williams 2009, p. 23).

Les critiques et polémiques, habituelles chaque fois qu'une hypothèse nouvelle est formulée, eurent dans ce cas une virulence inattendue.[1] En dehors des procès d'intention et des fausses interprétations, sur lesquels il est inutile de revenir, elles portèrent sur quatre points principaux. D'abord, l'impossibilité de connaître les significations, qui, en l'absence de preuves formelles pour toute hypothèse interprétative quelle qu'elle soit, impliquerait la subjectivité des supputations et leur caractère non scientifique.

En second lieu, le refus des comparaisons ethnologiques, qui ont mauvaise presse depuis les mises en garde, en réaction aux abus passés, d'éminents ethnologues tels que Claude Lévi-Strauss et André Leroi-Gourhan.

La troisième critique porta sur notre conception du chamanisme, qui serait erronée car trop globalisante et ferait une place démesurée à la transe. À ce propos, nous ne citerons qu'un exemple de critique et sa réfutation. Roberte Hamayon nous a reproché (Hamayon 1997) de ne voir le chamanisme qu'à travers la transe (ce que nous nous sommes d'ailleurs gardés de faire), car ce serait

1. Nous les avons longuement exposées et analysées, sur le fond et sur la forme, dans un livre à la conception particulière (Clottes et Lewis-Williams 2001a, 2007), où, pour que le lecteur se fasse une opinion par lui-même, nous publions le texte intégral de notre ouvrage princeps, suivi de toutes les polémiques dont nous avons eu connaissance, puis des réponses argumentées à ces critiques.

« comme analyser le mariage seulement en tant que fonction biologique de reproduction » (Atkinson 1992, p. 311). La comparaison est tout de même excellente, car elle met le doigt sur un aspect à proprement parler fondamental du chamanisme. Le chamanisme n'est certes pas que la transe, mais celle-ci y joue un très grand rôle, de même que le mariage n'est pas que la seule fonction sexuelle, bien que cette dernière soit à la base de l'institution qui, sans elle, n'existerait pas.

La quatrième critique porte sur l'art paléolithique lui-même avec lequel les hypothèses formulées seraient contradictoires ou insuffisantes : la diversité de l'art et sa pérennité sur tant de millénaires sont ainsi opposées à une théorie perçue comme trop globalisante : un art qui a duré plus de vingt mille ans et qui présente tant de facettes diverses ne saurait relever d'un unique cadre interprétatif ; les explications données seraient limitées, puisqu'elles ne peuvent expliquer le sens précis des représentations graphiques et qu'elles s'appliqueraient à trop peu d'images spécifiques (en l'occurrence aux êtres composites) ; enfin, certaines caractéristiques de l'art, par exemple l'art mobilier ou l'art à la lumière du jour, dans les abris ou sur les roches, seraient extérieures au schéma proposé.

Tous ces points méritent l'attention. Il y fut répondu en son temps et ils seront à nouveau abordés à la lumière des découvertes, recherches et expériences qui ont suivi la parution de nos travaux et qui constituent la trame de ce livre.

Si différentes soient-elles, les interprétations et hypothèses dont nous venons de voir les grandes lignes reposent, par la force des choses, sur des bases identiques, utilisées de manières diverses selon les époques. Ces bases sont l'analyse de l'art lui-même, celle des traces et vestiges dont nous disposons, l'universalité de certains comportements humains que nul ne saurait nier et les comparaisons ethnologiques que cette universalité rend possibles. Nous allons les examiner successivement.

ÉTUDIER L'ART : CHOIX DES MOYENS ET CHOIX DU REGARD

L'art pariétal paléolithique est communément — et improprement — appelé « l'Art des Cavernes », puisque davantage de peintures et de gravures furent sans aucun doute réalisées dans les abris et en extérieur que dans les profondeurs des grottes. Les recherches sur cet art spectaculaire et mystérieux ont commencé tout au début du XXe siècle, essentiellement avec l'abbé Henri Breuil et sous son impulsion. Breuil relevait méticuleusement les œuvres, parfois à main levée (Altamira), le plus souvent, comme dans la grotte des Trois-Frères, par calque, sur un papier transparent directement appliqué contre la paroi. Les techniques ont évolué, on procède maintenant au relevé aussi près des surfaces ornées qu'il est possible sans contact avec elles, sur des calques posés sur des photographies à l'agrandissement voulu, mais le relevé reste en Europe à la base des études.

Il n'en va pas partout ainsi dans le monde. Dans bien des pays et sur de très vastes régions (le Sahara, par exemple), les études se fondent sur des dénombrements et des descriptions de figures, des croquis, voire des formulaires descriptifs, et reposent sur des inventaires photographiques. Les rudes conditions de ces contrées, l'immensité des distances, et le nombre prodigieux des sites expliquent ces choix, qui apportent des quantités considérables d'informations et constituent une recherche extensive, tout en restant très en deçà des précisions obtenues par les relevés.

Comme on l'a souvent dit, un relevé, en effet, n'est pas une simple restitution du dessin, c'est une analyse fine et une recherche. À ce titre, il est irremplaçable. Le releveur reproduit les gestes de l'artiste et, ce faisant, retrouve l'ordre de mise en place des figures, leurs superpositions, les techniques employées, les problèmes posés par l'utilisation d'un support inégal et la manière de les résoudre. Il découvre et observe aussi, lorsque les conditions s'y prêtent, les traces de toutes sortes laissées sur la surface pariétale au moment de la réalisation des images et après, au cours des millénaires qui ont suivi. Le relevé est la base indispensable d'une recherche approfondie.

Dès le relevé, il faut faire des choix et interpréter ce que l'on voit. Par exemple, dans quelle mesure reproduira-t-on les fissures et les microreliefs, ou encore les fins dépôts de calcite ? La « main » du releveur joue également un rôle non négligeable. Dans une équipe, on repérera instantanément sur une table de travail un relevé dû à Gilles et on le différenciera sans peine d'un autre dû à Marc ou à Valérie, et réciproquement. La subjectivité intervient à coup sûr, même si nous nous efforçons de la diminuer en adoptant des méthodes communes, qui reposent de toute évidence sur une théorie implicite de ce qui est important, voire indispensable, et de ce qui ne l'est pas.

Lorsque — on y vient déjà — on fondera davantage encore la recherche sur les méthodes photographiques d'enregistrement ou les relevés en trois dimensions, cela n'éliminera pas la subjectivité dans le choix des critères à retenir au moment des prises de vues et plus encore au stade de l'analyse détaillée.

L'analyse qui suit le relevé, c'est-à-dire son exploitation scientifique, est beaucoup plus délicate encore. Comment étudier ces résultats bruts pour y déceler des constantes significatives ? Que décrire et que laisser de côté ? Quels paramètres choisir et comparer ? L'histoire de notre discipline est très éclairante à cet égard et montre à l'évidence comment des présupposés, voire des hypothèses interprétatives, ont biaisé les descriptions et même les bases de données. Nous allons en évoquer quelques exemples.

Pour l'abbé Breuil et pour ses successeurs, si l'art des cavernes était motivé par des pratiques magiques, au-delà des constatations admiratives devant la justesse des images pariétales, bien peu était dit sur le détail des représentations animales, sur leur sexe, leur âge, les attitudes individuelles et les scènes. Les dessins ayant à chaque fois pour but, selon cette théorie, d'exercer une action ponctuelle sur le gibier ou sur les prédateurs, peu importait leur sexe et leur âge, ni qu'ils fussent dessinés immobiles ou à la course. Chaque dessin résultait d'une opération magique individuelle et leur accumulation progressive constituait le palimpseste qui nous est parvenu, où les dessins n'ont pas de rapports entre eux.

André Leroi-Gourhan, en revanche, loin de négliger l'étude des comportements (Leroi-Gourhan 1984), revint à maintes reprises, dans ses cours au Collège de France, sur ce qu'il appelait « l'animation ». Cet intérêt pour les attitudes des animaux marque un progrès considérable et décisif par rapport aux recherches précédentes. Avec sa clairvoyance coutumière, il se posa la question de leur signification. Il se demanda en conséquence si les détails d'animation pourraient traduire le sens réel des assemblages et constituer à la limite de véritables idéogrammes, ou, à l'inverse, s'ils ne seraient « que des variations pittoresques et non des pictogrammes significatifs » (Leroi-Gourhan 1976-1977, p. 492). Il pencha pour la seconde supposition en raison du caractère souvent marginal que présentaient à son avis les sujets animés et de leur coïncidence fréquente avec des formes naturelles mises à profit pour figurer le mouvement. L'animation ne serait donc, selon lui, qu'une « licence narrative, brochée sur le fond des représentations essentielles » (*Id.*, p. 493). Il insista beaucoup sur cette conclusion : « Il est d'évidence que le sujet (bison, cerf...) prime massivement sur l'action (fuir, charger, tomber...) puisque l'on rencontre une majorité de figures en état d'animation nulle (...). Cela pourrait indiquer que, dans les assemblages pariétaux, l'association des sujets a constitué la charpente pertinente du mythogramme et que la pictographie de l'action n'est intervenue que de manière incidente » (Leroi-Gourhan 1974-1975, p. 390). « L'animation est restée au second plan » (Leroi-Gourhan 1984, p. 89). Cela pouvait se comprendre dans l'optique qui était celle de Leroi-Gourhan, celle d'un système symbolique binaire, où les animaux avaient une valeur mâle (cheval, cerf) ou femelle (bison) et dont l'espèce était en conséquence le critère dominant.

Ses successeurs suivirent sa voie et sa méthode, sans néanmoins épouser son interprétation sexuelle de l'art. Denis Vialou, dans le droit fil de Leroi-Gourhan, estime que « les Magdaléniens ont d'abord ou principalement voulu désigner l'animal en tant que tel [...] et donc son rôle thématique au sein des dispositifs pariétaux » (Vialou 1986, p. 367), renforçant ou amoindrissant la force du thème en jouant sur le nombre d'individus. Étudiant les grottes ariégeoises dans une perspective structuraliste, il fait porter l'essentiel de son analyse sur les « liaisons thématiques » et les problèmes de composition afin de déterminer le « dispositif symbolique », mais il ne va pas alors au-delà des identifications spécifiques (bison, bouquetin, etc.). Même s'il en fait état dans ses descriptions, pourtant précises et minutieuses, il ne prend pas en compte dans ses analyses et *a fortiori* dans ses dénombrements la caractérisation de détail des animaux et de leurs attitudes.

Leroi-Gourhan fut le premier à constituer une banque de données, au moyen de fiches perforées, et à employer des méthodes statistiques simples. Tous les chercheurs procèdent de même, depuis lors, avec des outils devenus beaucoup plus performants, mais la quantification des animaux se fait toujours selon les mêmes critères, c'est-à-dire l'espèce. Cela ne va pas sans quelques contradictions formelles, puisque, par exemple, on fera une catégorie distincte pour le cerf et la biche mais pas pour le taureau et la vache ou le cheval et la jument.

Georges Sauvet et André Wlodarczyk ont poursuivi et étendu les méthodes structuralistes de Leroi-Gourhan et constitué une base de données fournie. Ils en ont tiré des statistiques et des conclusions sur la pérennité des thèmes et des règles dans l'art de tout le Paléolithique supérieur, de même que sur l'existence d'une sorte de « grammaire » des images. Ils ont matérialisé cela au moyen d'analyses et de graphiques impressionnants (analyse factorielle, algorithmes, *cluster analysis*, etc.). Dans une étude récente (Sauvet et Wlodarczyk 2008), ils distinguent 14 types (12 animaux spécifiques, dont le Cerf, la Biche et le Renne, mais pas le Mégacéros ; 1 Humain ; 1 divers ou rare). L'impression donnée et sans doute recherchée est celle d'une objectivité totale, matérialisée par des nombres, des statistiques, des diagrammes et des tableaux. Or il est déjà évident que, à tort ou à raison, des choix drastiques ont été faits *a priori.* Nous verrons plus tard, à la lumière d'expériences ethnographiques, que sexes, attitudes, âges, indications des saisons peuvent avoir une importance considérable dans la caractérisation des images et dans le sens qu'on leur attachait, toutes notions occultées dans les statistiques actuelles, qui, par commodité, privilégient certains thèmes (l'espèce) et en occultent d'autres.

En outre, Sauvet et Wlodarczyk, afin, comme ils disent, de « faciliter des comparaisons » entre panneaux, emploient une méthode curieuse[1], tout en reconnaissant qu'elle « entraîne une perte importante d'informations », qu'ils qualifient de « réduction thématique ». Sur un même panneau, « un groupe de dix bisons peints entiers sera considéré comme un seul bison à l'égal d'une petite tête finement gravée de bison » (*Id.*, p. 166). Or cette méthode délibérément et arbitrairement choisie induit les résultats, en gommant l'aspect quantitatif des représentations et les changements thématiques qu'ils sont susceptibles de révéler, ce qui est pour le moins étrange pour une méthode statistique qui se voudrait objective.

On pourrait également se demander si le critère de la taille, jamais pris en compte dans les statistiques, n'intervenait pas dans la signification des œuvres. À propos de Lascaux mais aussi pour les autres grottes ornées, Norbert Aujoulat (Aujoulat 2004) s'est ainsi posé le problème de la visibilité des images : à Lascaux, est-il légitime de comptabiliser à égalité les immenses taureaux si spectaculaires et de petites représentations de chevaux dans un coin ? On peut douter qu'elles aient eu la même valeur pour ceux qui les réalisèrent et pour ceux qui les voyaient.

1. André Leroi-Gourhan procéda lui aussi à ce type de « réduction thématique ».

Ces quelques exemples montrent à la fois la vanité de se réclamer d'une objectivité « scientifique » impeccable, fût-elle appuyée par les méthodes statistiques modernes, et la complexité des problèmes qui se cache sous les apparences de la simplicité des descriptions élémentaires.

Un autre paramètre intervient, celui de la localisation des images dans la caverne. Dans ce cas-là encore, Leroi-Gourhan fut un précurseur et un maître à penser puisqu'il distingua, outre les panneaux centraux, « les figures d'entrée de la caverne, celles d'entrée de chaque grande composition, celles qui occupent le pourtour des compositions, celles qui marquent la fin de chaque salle ou partie de la grotte et celles du fond » (Leroi-Gourhan 1965, p. 81). Il croyait retrouver une même structure dans la composition du sanctuaire, fruit d'une conception unique dont les éléments constitutifs étaient, comme nous l'avons vu, les relations des animaux/thèmes entre eux, avec les signes symboliques et avec l'espace souterrain. En fait, le sanctuaire « idéal » n'existe pas, chaque grotte étant par nature différente de toutes les autres, de sorte qu'il est le plus souvent difficile d'opérer des distinctions précises et objectives qui puissent soutenir une étude statistique dans ce domaine.

Néanmoins, le problème existe et certains exemples apportent quelques lueurs et suscitent des questionnements. Le Grand Sorcier des Trois-Frères, que Breuil appelait le Dieu Cornu, domine de plusieurs mètres, en haut de la paroi, les centaines de gravures du Sanctuaire. Sa position prééminente contraste avec celle, tout aussi singulière mais bien différente, du « Sorcier » de Gabillou, lui aussi être composite mi-humain mi-animal, relégué à l'extrême fond du long boyau orné, étroit et bas, qui constitue la grotte. Dans la grotte Chauvet, les deux ensembles ornés les plus complexes et les plus spectaculaires sont la Niche des Chevaux et le Grand Panneau de la Salle du Fond. Dans les deux cas, les panneaux ornés se déploient de part et d'autre d'une niche centrale. Le modeste cheval au centre de celle du Grand Panneau aurait-il une valeur symbolique supérieure à celle des grands rhinocéros sur sa gauche ou des lions chassant des bisons sur sa droite ? Toute réponse ne peut qu'être subjective et procéder de présupposés.

Dans ces cas, comme dans bien d'autres, le dénombrement des espèces reste à l'évidence très en deçà des réalités. Des méthodes différentes d'étude s'imposent pour toute interprétation.

QUELLES HYPOTHÈSES POUR QUELLES SIGNIFICATIONS ?

L'archéologie n'est pas une science « dure », au sens où on l'entend pour la mathématique ou la physique. Nous ne pouvons ni refaire une expérience dans des conditions identiques ni démontrer un théorème. Quant aux « preuves », dont il est souvent fait état et qui nous sont régulièrement réclamées, elles n'existent jamais qu'à un niveau de compréhension assez peu élevé. Qu'ils en soient ou non conscients, les archéologues doivent se contenter en fait d'hypothèses plus ou moins plausibles pour expliquer la majeure partie des données dont ils disposent.

En voici un exemple concret. Si la fouille d'un habitat magdalénien révèle la présence d'un grand feu, l'analyse des charbons (anthracologie) permettra de déterminer le combustible (pin sylvestre, par exemple). Un appareillage adéquat établira le degré de chaleur obtenu (disons 500 °C). On pourra obtenir des dates radiocarbone sur des charbons ou des os : elles nous donneront une fourchette chronologique. L'étude des silex qui jonchent le sol révélera leur provenance géologique et pourra indiquer des déplacements éventuels, la manière et les diverses étapes de leur taille (chaînes opératoires), la nature de l'objet obtenu et parfois même, par l'étude des microtraces, à quoi il a pu servir (couper de la viande, racler des peaux). Les ossements brisés et brûlés seront attribués par des paléontologues spécialisés à tel ou tel animal, bison, renne, cheval ou bouquetin. Ces faits, et ils ne sont pas négligeables, seront solidement établis. Ce seront des « preuves ».

En revanche, expérimentations et comparaisons

ethnologiques feront émettre des *hypothèses* plus ou moins plausibles sur la fonction de la plupart des objets. Ainsi, une pointe de harpon du Magdalénien final servait-elle à harponner, comme on le présume, ou était-ce un crochet pour suspendre des objets, ou encore un signe de pouvoir et de prestige ? Que la première hypothèse — et non les autres — soit plausible au point d'entraîner une adhésion générale immédiate ne signifie nullement, en toute rigueur scientifique, qu'elle se transforme *ipso facto* en preuve.

De même, toujours dans le cas de figure exposé, on estimera que, si la faune déterminée sur le site se compose à 80 % de rennes et à 20 % de bisons, cela signifie que ces Magdaléniens mangeaient davantage de l'un que de l'autre, et non pas qu'ils brûlaient ces ossements en hommage à leurs dieux et consommaient tout autre chose, ou même qu'ils étaient végétariens. La première hypothèse, indémontrable puisque personne ne les a vus manger et qu'aucun témoignage n'existe, est empiriquement perçue — à juste titre, certes — comme beaucoup plus vraisemblable que la seconde. Elle est en conséquence adoptée par tous sans discussion aucune, comme allant de soi. Cette appréciation se fonde IMPLICITEMENT sur la connaissance de la nature humaine et de ses besoins, ainsi que sur d'innombrables exemples ethnologiques. Il s'agit donc non pas d'une preuve, mais de la meilleure hypothèse possible (*best-fit hypothesis* des auteurs de langue anglaise), celle qui rend le mieux compte de la réalité perçue en fonction d'un savoir acquis.

Les conditions d'une *best-fit hypothesis* en matière de sciences humaines, dont l'archéologie fait partie, ont été depuis longtemps établies par les philosophes des sciences (Hempel 1966). Elle doit remplir cinq conditions majeures, brièvement résumées :

— elle doit expliquer un plus grand nombre de faits que les autres hypothèses ;

— elle doit expliquer une plus grande diversité de faits, ce qui n'est pas la même chose ;

— elle ne doit pas être contradictoire avec des faits solidement établis ;

— ses bases doivent être vérifiables et réfutables ;

— elle doit enfin avoir un potentiel prédictif, ce qui ne signifie pas qu'elle doive nécessairement prédire telles ou telles découvertes, mais que, lorsque des découvertes surviendront, elles iront dans son sens et la renforceront.

Dans la mise en œuvre de l'hypothèse, une autre notion est importante. Il s'agit de ce que l'on a appelé la méthode de la corde et de ses torons (Wylie 1989 ; Lewis-Williams 2002). Elle repose sur deux observations étroitement liées. Une corde à un seul brin, si solide soit-il, sera moins résistante qu'une corde constituée de plusieurs torons entrecroisés : chacun, quelles que soient ses qualités propres, renforce la cohésion et la solidité de l'ensemble, qui deviennent bien supérieures à la simple addition de chacun des brins. De la même manière, des lignes de recherche différentes, mises en œuvre dans l'élaboration d'une hypothèse, se renforceront réciproquement. Le corollaire est que, pour tester la solidité de la corde, c'est-à-dire de l'hypothèse, il ne suffit pas de s'attaquer à un toron isolé, mais il faut soit l'éprouver dans son ensemble soit, surtout, en proposer une autre qui se révèle plus fiable en remplissant mieux les conditions ci-dessus énoncées. Si c'est le cas, celle-ci deviendra *ipso facto* la meilleure hypothèse possible[1] et la précédente sera écartée.

C'est ainsi que les éléments majeurs de l'art paléolithique seront mis en rapport avec les observations ethnologiques et avec l'universalité de certains phénomènes humains.

L'ESPÈCE HUMAINE, L'ART ET LA SPIRITUALITÉ

L'humanité est une, on le sait, et les races n'existent pas. Nous sommes tous interféconds, notre cerveau, notre système nerveux et nos besoins fon-

1. Les conditions des hypothèses scientifiques en matière d'archéologie, comme le faux problème des « preuves » et la validité des comparaisons ethnologiques ont été bien exposés par David Lewis-Williams et Thomas Dowson dans leur célèbre article paru dans *Current Anthropology* (Lewis-Williams et Dowson 1988).

damentaux sont identiques, même si des adaptations à des milieux différents ont provoqué des pigmentations ou certains caractères physiques plus ou moins accentués selon les lieux. D'ailleurs, les Hommes modernes que nous sommes, conventionnellement appelés *Homo sapiens*, possèdent tous des ancêtres communs, vraisemblablement sur un continent (l'Afrique) où ils se distinguèrent des précédents hominidés il y a deux cent mille ans ou plus, avant de se répandre sur toute la planète. C'est cette réalité et ce sont ces évidences qui permettront d'extrapoler certains comportements humains connus à un passé qui l'est beaucoup moins.

L'art et la spiritualité qui conditionne son apparition sont-ils consubstantiels à l'Humanité ? Si c'était le cas, on devrait trouver leurs traces dans le passé le plus lointain. C'est là que commencent les difficultés. Y a-t-il eu une longue évolution aboutissant à l'explosion artistique du Paléolithique supérieur en Europe ou celle-ci est-elle due à quelque événement ou processus déclenchant ?

L'un des premiers problèmes, pour rester clair, est de définir les concepts de spiritualité et d'art. Plutôt que de faire une compilation des innombrables tentatives à cet égard, il paraît préférable de prendre leur plus petit dénominateur commun. La spiritualité peut être considérée comme un ÉVEIL, celui d'une pensée qui dépasse les contingences de la vie au jour le jour, de la simple adaptation aux nécessités matérielles exigées par la quête de la nourriture, la reproduction et la survie. L'homme commence à s'interroger sur le monde qui l'entoure et c'est cela l'essentiel. Il y recherchera souvent une réalité autre que celle que ses sens lui font percevoir et à laquelle il a toujours, comme les animaux dont il procède, réagi instinctivement. On n'est pas loin de l'art.

Avec la religion, une autre étape est franchie. C'est, à proprement parler, L'ORGANISATION OU UNE ORGANISATION DE LA SPIRITUALITÉ. Le monde, interprété à travers l'esprit humain et transcendé, possède maintenant un sens précis, souvent révélé par quelque prophète ou dieu. Il en découle des règles de conduite pour éviter de provoquer des catastrophes, pour faciliter la vie courante et les relations sociales, pour obtenir l'aide des puissances mystérieuses ou pour les aider à conserver l'indispensable harmonie du monde, toujours menacée, jamais assurée, parfois rompue et qu'il convient alors de restaurer. L'homme a conscience, dans ces circonstances, d'agir sur son destin, autrement — mais pas très différemment, puisque les buts (c'est-à-dire tous les problèmes liés à la survie) restent les mêmes — que lorsqu'il est affronté aux périls matériels de son milieu.

Considérées sous cet angle, spiritualité et religion sont étroitement liées, puisque l'apparition d'une conscience qui se détache un tant soit peu des contingences matérielles et les tentatives, si frustes soient-elles, d'organiser ses nouveaux apports ne sauraient rester très longtemps séparées. Cependant, s'il n'y a pas de religion sans spiritualité, la spiritualité peut d'évidence se passer d'une religion ordonnée.

Quant à L'ART, sa définition est tout aussi ardue (Anati 1989, 1999). Elle peut se fonder, elle aussi, sur une distanciation par rapport au monde réel. Les formes et les modes d'application seront sans doute multiples, mais le fondement restera le même, à savoir *la projection sur le monde qui entoure l'Homme d'une image mentale forte qui colore la réalité avant de prendre forme et de la transfigurer ou de la recréer* (Clottes 1993). En ce sens, l'art est incontestablement l'indice d'une spiritualité. Comme l'écrivit André Leroi-Gourhan, « si la perception de l'insolite par les Paléoanthropiens est une étape essentielle, la figuration symbolique est le signe décisif de l'accession aux valeurs abstraites » (Leroi-Gourhan 1980, p. 132).

Quels furent les éléments déclenchants de la spiritualité ? La littérature à ce sujet est abondante, sans que les incertitudes soient dissipées. Que le développement et le perfectionnement de l'encéphale aient joué un rôle premier semble difficilement contestable. Où que l'on place le seuil et les premiers balbutiements de la spiritualité, il est certain aussi que, pendant des millions d'années, les créatures qui ont précédé cette évolution cruciale étaient adaptées à leur milieu et survivaient, pouvaient avoir une organisation sociale relativement sophistiquée (comme certains primates), inventaient et perfectionnaient des outils, éprouvaient des sentiments et qu'elles étaient engagées sur le chemin de l'Humanité. Les critères de ce qui détermine l'Homme ont beaucoup évolué en un demi-siècle. À *l'Homo faber*, qui n'a plus qu'un intérêt historique et à l'*Homo sapiens*, vraiment trop optimiste, je proposerais de substituer l'*HOMO SPIRITUALIS*, celui pour qui le monde se révèle beaucoup plus complexe qu'il n'y paraît et qui tente de comprendre et de s'adapter du mieux qu'il le peut à cette complexité nouvelle en faisant appel à des forces autres que matérielles (pour un développement sur ce sujet, cf. Clottes 2006).

Comment ne pas penser que deux phénomènes particuliers aient joué un rôle déterminant dans cette prise de conscience ?

Le premier est la mort (Jankélévitch 1994). Confrontés à la disparition d'un être proche, nous ressentons souvent de l'incrédulité, surtout lorsque la mort est brutale : il/elle était là, avec sa personnalité distinctive entre toutes et il/elle est « parti(e) ». Où ? Pour partir, il faut bien qu'il y ait un « ailleurs »... Si des animaux, tels les chimpanzés ou les éléphants, manifestent des sentiments forts au décès de l'un de leurs congénères, l'Homme va bien au-delà en rationalisant le phénomène.

Quant au rêve[1], d'autres mammifères que l'Homme rêvent, comme le savent tous les possesseurs de chats et de chiens. L'Homme, en revanche, a la capacité unique de se remémorer ses rêves, puis de s'y référer lorsqu'il maîtrise le langage. Qu'ils lui aient donné l'idée qu'il existait un monde « autre » où il voyageait pendant son sommeil, et où d'ailleurs il rencontre des disparus qui y sont bien vivants, paraît logique.

Ces deux réalités de la vie, apparemment simples, ont plusieurs conséquences. La première est la reconnaissance de l'esprit en tant qu'entité distincte du corps, puisque celui-ci ne se déplace pas pendant les rêves et qu'il peut se figer et disparaître à tout jamais dans la mort. Avec cette prise de conscience, au sens propre du terme, nous sommes bien à la racine de la spiritualité. La seconde conséquence découle de l'instinct de survie. Elle est donc particulièrement forte. C'est la tentative de tirer parti de cet autre monde, de profiter de son existence et de ses particularités. La troisième est liée à la précédente : puisque cet univers auquel on accède par les rêves, aux règles et aux caractéristiques si différentes de celles du monde habituel, existe, n'influencerait-il pas, ou même ne conditionnerait-il pas les événements de celui de tous les jours ? Ces idées ont elles-mêmes des conséquences en

1. Edward Taylor a particulièrement développé l'importance primordiale du rêve au XIXe siècle.

cascade, qui s'entremêlent de manière inextricable. Elles proviennent directement de la prise de conscience de la mort et du rêve et pourraient être à l'origine de la spiritualité et des religions.

OÙ ET COMMENT APPARAÎT L'ART ?

La question qui se pose alors à l'archéologue n'est pas tant celle de la chronologie (de quand dater ce seuil ?), que des moyens dont il dispose pour déceler les conséquences de son franchissement dans l'attitude des hommes à l'égard de l'univers. De ce point de vue, l'apparition de l'art est cruciale.

La maîtrise du feu, par *l'Homo erectus*, peut avoir considérablement influé sur le développement des échanges entre humains et sur leur convivialité (Otte 2001), mais elle n'est en soi qu'un outil de plus, fût-il d'une importance majeure. Quant aux curiosités naturelles que des humains très anciens ramenaient sur leurs habitats, comme les cristaux de roche acheuléens de Singi Talat en Inde, auxquelles Leroi-Gourhan faisait allusion (cf. *supra*), on leur attache moins d'importance que jadis, car il existe des exemples nombreux d'animaux qui témoignent d'une pareille curiosité, apparemment dépourvue de but utilitaire. Pour les mêmes raisons, l'harmonie et la symétrie des formes de certains bifaces, qui en font à nos yeux des œuvres d'art, ne sauraient être retenues comme un témoignage probant de création artistique et de l'existence d'une spiritualité et d'un art ou d'un proto-art, ou du moins ils ne suffisent pas par eux-mêmes à l'établir. En effet, que dire alors de la complexité et de la beauté des nids de certains oiseaux ?

Aucun indice d'art n'existe pour les plus anciens humains, les *Homo habilis* et les autres. Un galet non travaillé qui, *pour nous*, évoque vaguement une tête humaine quand il est tourné dans le bon sens, trouvé à Makapansgat, en Afrique du Sud, dans un niveau attribué à trois millions d'années, est à ranger avec les autres curiosités naturelles déjà mentionnées dont la couleur ou la forme insolite ont pu attirer l'attention et provoquer le ramassage.

En revanche, avec *l'Homo erectus* au sens large (particulièrement *Homo heidelbergensis* en Europe) et avec sa culture majeure l'Acheuléen, nous constatons une multiplication des témoignages, qui se renforcent mutuellement au fur et à mesure des découvertes.

L'un de ceux les plus anciennement attestés est l'usage de minerais de fer (hématite et limonite, en particulier) utilisables comme colorants. On en a trouvé en Afrique, en Inde et en Europe, parfois dans des contextes remontant à plusieurs centaines de milliers d'années (Lorblanchet 1999). Nous ne savons naturellement pas à quoi ces colorants ont pu servir : décoration corporelle, rites divers comme c'est le cas dans tant de cultures du monde entier ? Le fait que leur pouvoir colorant soit évident ne constitue pas la preuve qu'ils furent utilisés pour matérialiser des symboles ou pour traduire une spiritualité.

Des traits gravés sur des os découverts dans des contextes acheuléens ont également attiré l'attention. Comme toujours, les controverses ont fait rage sur leur caractère intentionnel ou fortuit. Il est possible cependant que certaines séquences gravées, à Bilzingsleben (Allemagne) par exemple, soient délibérées (Bednarik 1995).

L'objet le plus curieux est une petite pierre d'origine volcanique mise au jour dans une couche acheuléenne datée entre 250 000 et 280 000 ans, à Berekhat Ram en Israël. On a voulu y voir une figurine ou « proto-figurine » représentant une femme. Cet objet n'est pas suffisamment éloquent en lui-même pour que cette détermination soit acceptable sans réserve. Il ne faut jamais oublier, en effet, que, si nous projetons automatiquement nos images mentales sur la réalité matérielle qui nous entoure et l'interprétons en conséquence, ce que nous y voyons et le processus interprétatif résultent d'une évolution et d'une éducation dont nous n'avons plus conscience. Nous ne pouvons en déduire que des humains archaïques avaient le même regard. Un examen approfondi (D'Errico et Nowell 2000) a toutefois prouvé que cette pierre avait été sommairement aménagée. Une autre « proto-figurine » acheuléenne, découverte à Tan-Tan, dans le sud du Maroc (Bednarik 2003a), n'est pas des plus convaincantes.

Des cupules, petites cavités creusées dans la roche, ont également été signalées, dans le centre de l'Inde, à Bhimbetka (Madhya Pradesh), sous une couche acheuléenne. Dans de nombreux contextes plus récents, les cupules sont le plus souvent considérées comme faisant partie de l'art rupestre, encore que cette opinion mérite d'être nuancée et discutée, comme nous le verrons avec des exemples ethnologiques. Étant particulièrement résistantes, les cupules se conservent mieux que tout autre forme d'art, ce qui a fait logiquement supposer qu'elles ne représentaient que le sommet de l'iceberg et qu'il s'agissait de la seule expression symbolique parvenue jusqu'à nous, alors que les autres (peintures, gravures) avaient disparu (Bednarik 2003b).

Il est donc vraisemblable que, dès l'Acheuléen, les humains qui ont précédé les *Homo sapiens* (disons plutôt les *Homo spiritualis*...) avaient déjà franchi un certain seuil. Si l'on ne peut pas affirmer que l'art existait vraiment, en tout cas selon la définition proposée ci-dessus, les conditions sont réunies pour déceler une forme élémentaire de pensée symbolique et une certaine distanciation par rapport à la réalité uniquement matérielle.

Cela est confirmé par les trente-deux squelettes humains d'*Homo heidelbergensis*, datés de 400 000 à 460 000 ans, trouvés en un même lieu, appelé Sima de los Huesos, à Atapuerca, près de Burgos (Espagne), au fond d'un puits naturel. Leur accumulation est en soi assimilable (et elle l'a été) à une sépulture collective, mais, en outre, la découverte d'un spectaculaire biface en quartzite rose, de qualité exceptionnelle et qui n'avait jamais servi, pourrait constituer une offrande funéraire et témoigner ainsi d'une croyance en un monde de l'au-delà.

Avec nos cousins Néandertaliens, l'utilisation des colorants est répandue. On en connaît sur plusieurs dizaines de sites moustériens, comme au Pech-de-l'Azé II en Dordogne. Il est probable que leur usage n'a pas été uniquement réservé à des tâches matérielles comme le tannage des peaux. On a signalé aussi des os gravés de stries régulières, entre autres en France à La Ferrassie, à Montgaudier (Charente) et à Arcy-sur-Cure (Yonne), mais aussi à Bacho Kiro en Bulgarie. Il faut noter que ces gravures intentionnelles ne sont pas naturalistes. Qu'elles aient une fonction symbolique est bien possible. Qu'il s'agisse d'art au sens strict du terme peut se discuter.

Comme à l'accoutumée, les spécialistes s'affrontent sur des détails, certes importants, tout en partageant bon nombre de concepts communs dont on parle moins. Il existe ainsi deux écoles de pensée principales que l'on peut schématiser ainsi : l'une voudrait « réhabiliter » les Néandertaliens : en dehors de l'influence des Hommes modernes et parfois même avant eux, ils auraient tout inventé par eux-mêmes (art, parure, inhumations, dépôts funéraires). L'autre école estime que les « inventions » relativement tardives des Néandertaliens résultent en fait d'influences, voire d'une certaine acculturation, de la part des Cro-Magnons, comme on appelle familièrement les Hommes modernes européens. Cela paraîtrait assez logique puisque ce n'est qu'à partir du moment où ces deux formes d'humanité sont contemporaines en Europe occidentale que l'on constate l'apparition de la plupart de ces nouveautés et non pas pendant les dizaines de millénaires qui ont précédé, lorsque les Néandertaliens n'avaient pas ces encombrants et étranges voisins. Des recherches récentes, cependant, sembleraient indiquer que certains groupes néandertaliens utilisèrent des coquilles perforées (parures) avant la venue des Hommes modernes en Europe (Zilhão *et al.* 2010). Quoi qu'il en soit, cela n'a pas une importance capitale, car le fait majeur est que tous s'accordent sur les capacités mentales des Néandertaliens, certainement distinctes de celles des Hommes modernes, mais qui incluent à coup sûr la spiritualité. On pourrait donc les appeler *HOMO SPIRITUALIS NEANDERTALENSIS.*

Quant à l'art, s'ils en avaient, il fut certainement assez différent de celui de nos ancêtres directs et, jusqu'à présent du moins, aucune forme d'art représentatif n'a pu leur être attribuée.

L'un des exemples les plus cités est la sépulture d'un enfant de trois ans découverte à La Ferrassie (Dordogne), surmontée d'une pierre calcaire portant une vingtaine de petites cupules sur sa face inférieure. Dans ce cas, les preuves d'une pensée complexe sont attestées à trois niveaux : la volonté de préserver le corps du défunt par son enterrement, le dépôt d'un bloc travaillé, le caractère même de ce travail, puisque ces cupules organisées en quatre ou cinq petits groupes avaient probablement une signification symbolique. Cela suffirait à établir les conditions de la spiritualité de ces gens, mais ces cupules doivent-elles être considérées comme des œuvres d'art ?

Autre exemple : un bloc de silex percé de deux trous naturels communicants dans lesquels une longue esquille osseuse a été trouvée fut mis au jour en Indre-et-Loire, à La Roche-Cotard, dans un niveau de Moustérien de tradition acheuléenne. Improprement qualifié de « masque », ce qu'il ne peut pas être, cet objet, qui évoque une face avec un peu d'imagination, rappelle les curiosités naturelles déjà citées (Lorblanchet 1999, p. 133). Sans que l'on puisse affirmer qu'il s'agit d'une représentation naturaliste, il va toutefois au-delà du simple *lusus naturae* puisqu'il semble avoir été sommairement aménagé et l'os délibérément fiché dans le trou.

Avec l'Homme moderne, anciennement appelé *Homo sapiens sapiens* puis *sapiens* tout court, et qui répondrait mieux à *HOMO SPIRITUALIS ARTIFEX*, le problème se pose de façon tout autre. Il n'est plus question, en effet, de s'interroger sur l'existence, admise par tous, de son éventuelle spiritualité et de l'existence de l'art, mais d'en étudier et d'en déterminer la nature, les modalités, la chronologie et l'évolution.

Le plus ancien (jusqu'à présent...) objet symbolique dû à l'Homme moderne a été découvert à Blombos Cave, près du Cap (Afrique du Sud). Il s'agit d'un bloc d'hématite travaillé et poli qui présente un motif complexe gravé composé de trois traits parallèles et d'une série de croisillons (Henshilwood *et al.* 2002, Henshilwood 2006), trouvé dans une couche datée entre 70 000 et 80 000 BP. Récemment, on a mis au jour, toujours en Afrique du Sud, bon nombre de coquilles d'œufs d'autruche, utilisées comme récipients et gravées de motifs géométriques (bandes d'incisions), remontant à 60 000 ans (Texier *et al.* 2010). Nul doute que les découvertes se multiplieront à l'avenir sur les continents (Afrique au premier chef, mais aussi Asie et Australie) habités par l'Homme moderne bien avant l'Europe.

Lorsque l'Homme moderne parvient en Europe, il y a une quarantaine de millénaires au moins, les témoignages concrets de ses activités spirituelles et magico/religieuses abondent, qu'il s'agisse d'art pariétal ou d'art mobilier. Elles ne cesseront pas, sous des formes comparables, pendant près de vingt-cinq mille ans. Un problème encore non résolu, toutefois, est l'absence d'art pariétal attesté pendant les tout premiers millénaires où l'Homme moderne s'est établi en Europe. Est-ce un vide qui se comblera avec de nouvelles découvertes ou cela serait-il dû à une fréquentation sélective des grottes profondes qui n'aurait commencé que tardivement, de sorte que les œuvres en extérieur, s'il y en avait, ne se sont pas conservées ?

Parmi les thèmes utilisés dans l'art sous ses diverses formes, pariétal et mobilier, on soulignera celui de l'homme-animal. Cette représentation d'êtres composites persiste depuis les statuettes aurignaciennes en ivoire de mammouth du Hohlenstein-Stadel et du Hohle Fels en Allemagne (humains à tête de lion) (Conard 2003), ou encore, toujours sans doute à l'Aurignacien, l'homme-bison de la grotte Chauvet (fig. 28), jusqu'aux représentations pariétales magdaléniennes (« Sorciers » des Trois-Frères au Magdalénien moyen), en passant par l'homme à tête et aux ailes d'oiseau de Pech-Merle, à celui à tête de phoque de Cosquer, à l'homme à tête d'oiseau du Puits de Lascaux et au « Sorcier » de Gabillou (fig. 1), à des époques intermédiaires, probablement en grande partie solutréennes.

Or on sait que, dans de nombreuses religions,

les croyances à l'existence d'êtres composites, c'est-à-dire de dieux, d'esprits, de héros qui possèdent des caractéristiques à la fois humaines et animales, sont très communes, dans de nombreuses cultures, à toutes époques et sur tous les continents. Il n'est que d'évoquer maintes divinités égyptiennes — femme à tête de lion (Sekhmet), homme à tête de chacal (Anubis), de bélier (Amon-Ré), de crocodile (Sobek) — ou hindoues (Hanuman à tête de singe), ou encore le diable ou les anges de la religion chrétienne. Des croyances aussi universellement répandues, quelles que soient leurs manifestations concrètes particulières, qui dépendent de la culture et peuvent donc varier à l'infini, témoignent de certaines caractéristiques universelles de l'esprit humain. Nous y reviendrons.

APPORTS ET RISQUES DE LA COMPARAISON ETHNOLOGIQUE

Cela nous amène naturellement aux comparaisons ethnologiques, que nous développerons dans le prochain chapitre avec des exemples vivants.

Il y fut fait appel dès les premières découvertes. L'assimilation des « sauvages » de contrées lointaines aux « primitifs » préhistoriques était tentante, mais elle reposait sur des représentations aussi fausses l'une que l'autre malgré des apparences solides. Aborigènes australiens, tribus indiennes du continent américain ou Boschimans sud-africains, comme les Magdaléniens ou les Solutréens, étaient des Hommes modernes, ce qui supposait des affinités dans les comportements, les croyances et les modes de pensée pour des groupes à un même stade économique et social, celui des chasseurs-cueilleurs. D'ailleurs, ces cultures traditionnelles contemporaines pratiquaient elles aussi l'art rupestre. Il était donc admissible de s'y référer.

Cela entraîna excès et erreurs dans la première moitié du XXe siècle. Par exemple, dans l'ouvrage célèbre qui couronna son œuvre (Breuil 1952, p. 146, 147), l'abbé Henri Breuil place côte à côte une photographie d'un « Sorcier nègre de Guinée française recouvert de la tête aux pieds d'un déguisement en fibres tressées » (fig. 112 de son ouvrage) et la photographie d'un ensemble gravé de Lascaux pour interpréter ce dernier (fig. 111 : « Elle représente probablement un sorcier paléolithique recouvert d'un déguisement d'herbes »). La variabilité des croyances et des concepts est telle chez l'Homme que ce genre d'analogie ethnographique superficiel, qui repose sur des convergences de formes, est immanquablement voué à l'échec. La salutaire réaction d'André Leroi-Gourhan — lui-même ethnologue chevronné — contre ce type d'abus y mit un terme dans les années soixante (Leroi-Gourhan 1965).

Leroi-Gourhan, toutefois, poussa les choses très loin, trop loin, et en vint à récuser violemment tout appel au comparatisme ethnologique, tout en l'utilisant en tant que de besoin — mais sans le dire explicitement — dans ses analyses de l'art préhistorique, comme Catherine Perlès l'a montré. Elle cita à propos de son ostracisme une anecdote qu'elle qualifie elle-même de révélatrice : « Lors d'un séminaire en 1970 ou 1972, il rejetait mon hypothèse d'utilisation de l'os comme combustible dans les régions où les arbres étaient rares, prétendant que l'os ne brûlait pas. Comme je lui faisais remarquer que Thucydide avait décrit en détail comment les Scythes utilisaient les ossements des animaux qu'ils venaient d'abattre pour en faire cuire la viande, il m'a répondu : "Cela ne signifie rien, c'est du comparatisme ethnographique !" » (Perlès 1992, p. 47). À ce propos, lors de fouilles que j'ai menées avec Robert Bégouën dans la caverne d'Enlène, dans l'Ariège, nous devions trouver la preuve indiscutable de l'utilisation de l'os comme combustible par les Magdaléniens…

Depuis Leroi-Gourhan, cependant, les comparaisons entre des cultures relativement peu anciennes, voire contemporaines, et les témoignages paléolithiques ont globalement mauvaise presse, souvent sans la moindre justification, comme si cela allait de soi et en vertu du principe d'autorité :

« Leroi-Gourhan l'a dit, donc... » (cf. à ce sujet Demoule 1997 ; pour une réfutation, Clottes et Lewis-Williams 2001a, p. 188-191, p. 223). En fait, ce n'est pas aussi simple. Il faut être bien conscient de ce que l'on compare et de la manière dont on le fait. Il ne s'agit évidemment pas de calquer des comportements esquimaux ou aborigènes sur ceux des Magdaléniens ou des Aurignaciens et de projeter telle quelle une réalité moderne sur le passé, comme c'est le cas de l'exemple cité dans le livre de l'abbé Breuil. Le raisonnement, en revanche, peut fort bien se fonder sur ce que font des sociétés *analogues* sans procéder par *analogie* ponctuelle (Lewis-Williams et Clottes 1998a, p. 48 ; Clottes et Lewis-Williams 2001a, p. 188-189).

Ce type de comparatisme ethnologique diffère de l'analogie en ce sens qu'il indique des possibilités de concepts et de structures sociales et mentales voisines, ou encore des récurrences fréquentes de comportements et d'attitudes dans certains contextes. Loin de rechercher une « prétendue mentalité primitive », on s'attachera à déceler des convergences dans les façons de penser, de concevoir tel ou tel aspect de la réalité, et d'agir en conséquence.

Leroi-Gourhan lui-même, encore qu'il s'en défendît, ne procédait pas autrement. Lorsque, par exemple, il aborde le sujet des associations humaines et animales, après avoir remarqué que « les principes iconographiques modernes ne sauraient rendre compte du système d'organisation des figures des cavernes », il incite à « plutôt s'orienter vers l'art religieux du Moyen Âge » et les manières de représenter et d'associer alors les thèmes chrétiens dans une église ou une cathédrale. Il conclut « On se trouverait peut-être alors très près de la pensée magdalénienne et disposé à accueillir ce qui nous reste de sa souplesse dans les œuvres » (Leroi-Gourhan 1965, p. 110). Il s'agit bien d'une comparaison ethnologique au niveau de certains modes de pensée.

Des « universaux » peuvent nous donner des clefs possibles pour l'interprétation des faits paléolithiques, comme Michel Lorblanchet l'écrivit fort justement dès 1989 : « La recherche des universaux dans les créations artistiques du monde entier et la reconnaissance éventuelle de groupes ou de types différents est une des orientations fascinantes de la recherche sur l'art rupestre qui implique bien entendu le développement d'un nouveau comparatisme [...] Les sociétés traditionnelles vivantes ne fourniront pas des réponses toutes faites mais elles peuvent apprendre au préhistorien de l'art à mieux penser et à mieux orienter son "analyse interne" » (Lorblanchet 1989, p. 62). Ce que j'ai souhaité rapporter dans ce livre c'est l'apport des expériences que j'ai vécues et qui ont nourri ma réflexion et mon analyse.

Cette démarche est plus logique que celle qui consiste à « laisser les faits parler par eux-mêmes », ce qu'ils ne font évidemment jamais, ou à les interpréter « de façon littérale » ou « objective », puisque, dans ce cas, comme nous l'avons vu, l'interprétation est obligatoirement le fruit des concepts ou des hypothèses, formulées ou informulées, qui prévalent dans la société ou dans le milieu, fût-il scientifique, où nous vivons.

En voici trois exemples (et bien d'autres viendront dans le chapitre suivant). Partout dans le monde (sauf dans notre culture depuis une époque récente), le monde souterrain est considéré comme un monde « autre », celui où résident les dieux, les esprits ou les morts (cf. le Styx des anciens Grecs), un lieu chargé de pouvoir et de dangers surnaturels (Triolet et Triolet 2002). Autre phénomène universel : le pouvoir attribué aux images, fondement de la magie sympathique qui repose sur l'idée que l'image et la réalité sont étroitement liées et donc qu'à travers l'image on peut influer directement sur le réel (Bégouën 1924, 1939). Cela explique toutes sortes de rites magiques, dans le Vaudou, par exemple, ainsi que la réticence instinctive de nombreuses personnes à se laisser photographier par des inconnus. Là encore, les exemples ethnologiques sont innombrables, dans toutes sortes de cultures.

Tous les humains connaissent des rêves nocturnes et certains ce que l'on a appelé des « rêves éveillés » (Lemaire 1993), c'est-à-dire des hallucinations ou des visions. Les visions peuvent être extrêmement précises et détaillées et affecter les divers sens. Elles bouleversent l'ordonnancement du monde, avec certaines répétitions ou constantes : la présence de signes géométriques, dits entoptiques, la sensation d'un tourbillon ou d'un tunnel, celle de voler ou de se transporter instantanément d'un lieu à un autre, la rencontre d'animaux qui parlent ou d'êtres transformés, etc. Chez de nombreux peuples, tout particulièrement dans les sociétés chamaniques, ces visions sont instrumentalisées et mises à profit par le groupe, à la différence de notre société occidentale contemporaine où elles sont mal vues et considérées comme relevant de la psychiatrie.

Nous pouvons donc, sans crainte d'erreur, postuler que les modes de pensée des Magdaléniens et autres paléolithiques étaient plus proches de ceux de cultures traditionnelles et surtout de ceux des chasseurs-cueilleurs d'autres continents qu'ils ne le sont de ceux d'Occidentaux matérialistes, vivant dans une société complexe de type industriel au début du XXIe siècle.

Chapitre II

RENCONTRES DE RÉALITÉS MULTIPLES SUR D'AUTRES CONTINENTS

Dans le monde entier, les hommes ont gravé et peint sur les roches, à toutes les époques et pour toutes sortes de raisons. On retrouve l'art rupestre sur les cinq continents, dans la brousse ou dans les déserts, au flanc de montagnes, sur les falaises bordant de grands cours d'eau ou au fond de canyons sauvages. Malgré les convergences dues à l'emploi de techniques identiques, chaque ensemble de peintures ou de gravures se révèle profondément original. Sur photographies, le spécialiste distinguera au premier coup d'œil les peintures du Kimberley de celles de l'Utah ou de la Patagonie, même lorsque les sujets représentés (hommes et femmes, par exemple) sont similaires.

Rien n'est plus excitant et plus enrichissant que de parcourir pour la première fois l'une de ces régions. Même s'il m'a été donné de voyager sous toutes les latitudes, je ne m'en lasse jamais et je suis conscient des innombrables richesses culturelles que je n'ai pas encore vues. Ainsi, je voudrais revenir en Australie, cet inépuisable continent, me replonger dans le Kimberley et la Terre d'Arnhem et découvrir les dizaines de milliers de gravures du Pilbarra. De la Chine, je n'ai eu que la vision trop brève d'une petite partie des monts Helan Shan, dans le Quinxai, mais je sais qu'il se trouve dans ce pays des milliers de sites, comme celui de Hua Shan, avec des peintures jusqu'à quarante mètres de hauteur au flanc d'une gigantesque falaise. Les extraordinaires grottes perdues dans les jungles profondes du Kalimantan, à Bornéo, avec leurs étranges mains négatives ornées de motifs géométriques ne me sont connues qu'à travers des articles, des conversations et des livres (Fage et Chazine 2009). En Afrique, j'ai approché bon nombre de sites, au Niger, au Kenya, au Maroc, en Namibie et en Afrique du Sud, mais c'est encore trop peu. J'aurais envie de découvrir les merveilleuses gravures de l'Acacus, du Mathendous et du Messak en Libye, les peintures du Tassili n'Ajjer et du Hoggar en Algérie, l'art rupestre de la Mauritanie, du Mali et du Tchad, les Matopo Hills du Zimbabwe, les abris du Lesotho et ceux de la Tanzanie, de la Zambie et du Botswana. En Amérique du Sud, je ne connais que certains abris ornés de l'Argentine et du Brésil. Il faudrait y retourner, aller au Pérou voir Toro Muerto, où se trouvent des milliers de gravures en plein air, et les géoglyphes Nazca, ces immenses dessins à même le sol, si impressionnants par leur taille et leurs proportions, où certains auteurs mal informés ont stupidement voulu voir les œuvres d'extraterrestres. L'ingéniosité et le sens artistique des hommes n'a pas de limites, quels que soient les époques et les lieux, et point n'est besoin d'aller chercher leur origine dans des mondes lointains !

J'ai dit dans l'Introduction que, chaque fois que cela me fut possible, dans mes voyages, je me suis rapproché des gens que je rencontrais, collègues qui me guidaient sur les lieux qu'ils connaissaient mieux que quiconque ou représentants de peuples traditionnels, Indiens des Amériques, Aborigènes australiens ou chamanes sibériens. Si j'ai appris de tous et ne cesse de le faire, il va de soi que ces expériences multiples n'ont rien à voir avec une véritable recherche ethnologique, qui prend des années au sein d'un groupe particulier, dont on étudie en profondeur les modes de vie, les croyances et l'organisation sociale. J'insiste sur ce point : mes modestes expériences, davantage impressionnistes et personnelles, m'ont simplement ouvert des fenêtres et fait toucher du doigt, concrètement et pas seulement à travers les livres, certaines manières de concevoir le monde, parfois si différentes des nôtres. Elles m'ont permis d'aller plus avant dans mes recherches et ma perception de l'art, éclairant et vivifiant les comptes rendus académiques qui constituent la trame habituelle du travail du chercheur.

Dans ce chapitre, je vais en conter les principales, telles que je les ai vécues, car je pense qu'elles sont susceptibles d'intéresser le lecteur et c'est grâce à elles que je me suis rapproché des Magdaléniens et autres Aurignaciens.[1] La recherche ne se fait pas seulement au travers de lectures et de références savantes. La sensibilité et les expériences personnelles interviennent et jouent un rôle, fût-ce de manière impressionniste, dans les idées et les hypothèses que nous concevons et développons. En tenir compte et, le cas échéant, mettre en lumière ces processus sera plus « scientifique » que de prétendre à une objectivité absolue, tentative toujours vaine.

AMÉRIQUES

Il m'est arrivé de rencontrer des Indiens de diverses tribus d'Amérique du Nord — Cheyennes, Hopis, Navajos, Nez-Percés, Utes, Yakomas, Zunis, Hurons — et de converser avec eux. Mais cela resta en général assez superficiel. Il faut longtemps pour gagner leur confiance et je ne faisais

1. Certaines ont été publiées, parfois avec davantage de détails, dans deux petits ouvrages à présent épuisés : Clottes 2000a et 2003d.

que passer. J'eus cependant plusieurs expériences mémorables et enrichissantes.

En 1991, David Whitley, spécialiste de l'art rupestre californien, consacra plusieurs jours à me faire visiter des sites. Nous devions devenir amis et nous continuons à nous retrouver périodiquement sur le terrain ou à des Congrès. Cette année-là, il me conduisit à Rocky Hill, dans le centre de la Californie. Notre petit groupe était attendu par un Indien Yokut, Hector, qui devait nous servir de guide. C'était le gardien spirituel du site, après son père et son grand-père. Cet homme dans la force de l'âge, solide et bien bâti, était accompagné de son jeune fils. Il nous accueillit assez froidement. Il faisait cette visite parce qu'on le lui avait demandé, mais il n'avait guère de temps, nous dit-il. À 16 heures, une cérémonie était prévue au village et il fallait qu'il y fût. Il nous dit que, pour les esprits qui hantaient les lieux, nous étions des étrangers. Ceux qui résidaient dans les rochers où nous nous trouvions étaient puissants et dangereux. Si nous allions voir les abris ornés immédiatement, il nous arriverait malheur : nous pourrions tomber d'une roche et nous briser un membre, ou encore être mordus par un serpent à sonnette. Pour éviter cela, il fallait que les esprits nous connaissent. Une cérémonie était donc indispensable.

Il nous amena un peu plus loin, près d'une paroi ornée de dessins rouges assez anciens. Là, il nous fit un sermon sur le mal que les Blancs avaient causé aux Indiens, ces premiers Américains (*Native Americans*). Cela dura assez longtemps... Nous écoutions dans un silence respectueux. Puis, il s'est mis à chanter, psalmodiant un chant sacré tandis que son fils faisait de la musique en agitant des sortes de maracas. Il nous demanda ensuite de faire une offrande aux esprits. D'une poche en cuir, qu'il portait à la ceinture, il sortit des pincées de tabac natif et nous les distribua. À sa suite, nous allâmes l'un après l'autre déposer des brins de tabac dans des fissures de la paroi, sous les peintures. J'étais touché d'accomplir à mon tour ce geste millénaire. Cela me rappelait les grottes pyrénéennes, où les Magdaléniens avaient placé des esquilles d'os dans les fentes naturelles, peut-être eux aussi pour entrer en contact avec les puissances cachées derrière la roche ou pour les apaiser. J'avais étudié ces comportements et écrit des articles à leur sujet, et voilà que non seulement je les voyais mais je les reproduisais !

Nous partîmes visiter le site. Devant une paroi couverte de cupules, Hector pesta. Deux ou trois boîtes de bière avaient été jetées là. « Les gens ne respectent plus rien ! Cet endroit est sacré. C'est là qu'ont lieu des cérémonies pour la puberté des jeunes filles », laissa-t-il échapper dans sa colère. Un peu partout dans le monde, les cupules sont utilisées comme symbole féminin. Nous étions confrontés, concrètement, à un exemple de plus.

Devant une petite cavité, entre deux énormes blocs, je remarquai des barres rouges verticales et je lui posai la question de leur signification. « Cela indique que les lieux sont accessibles à des initiés du deuxième degré. » Je pensai que, sans cette explication directe, il eut été absolument impossible de deviner la raison d'être de ces signes, ce qui est le cas pour tous les arts rupestres devenus fossiles, lorsque leurs créateurs et utilisateurs ont depuis longtemps disparu.

Nous avons passé des heures à examiner une paroi ornée après l'autre. Je réalisai brusquement qu'il était plus de 16 heures et je le dis à Hector, me remémorant son avertissement initial. Il haussa les épaules et me répondit qu'il avait le temps et que la cérémonie attendrait. La confiance était venue. David l'interrogea sur la signification des peintures. L'une d'elles représentait ce qui me parut être un humain un peu stylisé. Il tenait un objet ovale à la main. Je pensai qu'il pouvait s'agir d'un chamane avec son tambour. « C'est un ours », me dit Hector. Surpris, je répliquai : « Tiens, j'aurais cru qu'il s'agissait d'un homme. » — « C'est la même chose. » Il n'en dit pas plus. David m'expliqua ensuite qu'au cours des visions hallucinatoires, recherchées dans les lieux isolés, il arrive souvent qu'un esprit de forme animale — appelé *spirit-helper*, c'est-à-dire esprit auxiliaire — apparaisse à celui qui s'était préparé à la vision par le jeûne et la méditation. D'une certaine façon il devenait cet esprit. En l'espèce, il était donc à la fois homme et ours. La réponse de notre guide était parfaitement cohérente, dans sa logique à lui qu'il fallait connaître, révélatrice d'une conception du monde bien différente de la nôtre.

Vers la fin de notre visite à Rocky Hill, après que j'eus montré mon vif intérêt et mon profond respect pour cet art et pour les croyances de ceux qui l'avaient créé, Hector m'expliqua que la dalle inclinée sur laquelle j'étais assis, juste au-dessous d'une voûte basse ornée de dessins, était l'endroit où, encore maintenant, l'on faisait coucher les malades lors des cérémonies de guérison. Nous étions seuls dans cette petite grotte. Pour attirer sur moi la bienveillance des forces occultes qui l'imprégnaient, il se mit à chanter sous les peintures pariétales. J'en avais des frissons. C'était un moment magique, dans tous les sens du terme.

Plus tard, le 1er juin 1999, je me trouvais tout au nord-ouest des États-Unis, dans l'État de Washington, non loin du Canada. Mon collègue et ami Jim Keyser nous avait invités, David Whitley et moi-même, ainsi qu'un collègue spécialiste de la conservation, Jannie Loubser, à visiter une grande île sur la Columbia River, où il souhaitait monter un programme d'étude et de surveillance des conditions permettant la conservation de l'art rupestre. Un Indien Yakoma, Gregg, nous accompagnait. Il ne parlait pas beaucoup, seulement — très brièvement — quand on s'adressait à lui.

L'art était dispersé en petits panneaux, avec surtout des peintures rouges et blanches et quelques gravures. L'un des sites ornés présentait un motif haut d'une vingtaine de centimètres, représentant une sorte d'arceau (une tête ?) peint en rouge, ouvert vers le bas, hérissé de courts rayons parallèles sur le bord extérieur ; l'intérieur était peint en blanc (fig. 2). Ce dessin était superposé à un nuage de points rouges. Je pensai d'abord que ces ponctuations avaient été faites au doigt, avant de réaliser qu'il en existait des quantités dans toute cette zone et qu'il s'agissait d'une oxydation naturelle de la paroi.

Gregg était près de moi. Je lui fis part de mon intérêt et lui dis, pensant à voix haute, que je me demandais si le motif peint l'avait été en relation avec ces petites taches rouges qui ne pouvaient manquer d'attirer l'attention. « Oui, sans doute, me dit-il. Ces points rouges ont dû évoquer pour eux la rougeole ou la variole. »

D'abord interloqué, je me suis ensuite rappelé l'histoire récente de cette région de la Columbia River, dont les tribus furent décimées au XVIIIe siècle par les épidémies de maladies contagieuses apportées par les Blancs. Le plus souvent, ces maladies, répandues par des colporteurs ou des voyageurs qui avaient été en contact avec les envahisseurs dans des contrées plus ou moins éloignées, précédaient leur arrivée sur les lieux. Les Indiens ne comprenaient pas ce qui leur arrivait. Les esprits étaient en colère contre eux. Leurs pratiques religieuses habituelles demeuraient inopérantes. Une partie de l'art rupestre original du pays fut alors transformée et de nouveaux motifs créés, dans un but propitiatoire, pour lutter contre les influences maléfiques nouvelles. Le commentaire de Gregg s'expliquait totalement dans ce contexte. La mémoire de ces événements et de leurs conséquences s'était perpétuée jusqu'à nos jours dans les tribus grâce à la persistance des traditions orales. Un moment comme celui-ci, lorsqu'une remarque anodine éclaire une œuvre d'art rupestre et nous fait pénétrer au cœur même de croyances que l'on croyait à jamais disparues, est un rare privilège et un instant de pur bonheur. Nous comprenons brusquement ce qui s'est passé. Que saurait demander de plus un chercheur ?

Ce même jour, Gregg devait nous apporter une autre information du même type, encore une fois de manière inattendue. Nous étions devant un tout petit panneau orné, situé à plusieurs mètres de hauteur au flanc d'une grande roche basaltique. On l'atteignait en grimpant sur le côté. Il comprenait une demi-douzaine d'images de mouflons gravés et peints. Immédiatement en avant des représentations et un peu au-dessous d'elles, une corniche large de quelques dizaines de centimètres me permit de m'étendre pour prendre des photos, non sans difficultés. Pendant ce temps, Jim et David devisaient. Jim remarqua : « Ils devaient s'allonger là dans leur quête des visions. » Gregg intervint de lui-même : « Non, non. Ils ne s'allongeaient pas. Ils restaient assis, en chantant. Ils pouvaient demeurer là plusieurs jours — jusqu'à sept —, sans manger, à attendre que la vision les envahisse. » Nous nous regardâmes, stupéfaits par cette confirmation et par ces détails non sollicités. « Mais, pendant tout ce temps, faisaient-ils face à la roche ? » — « Non, ils regardaient vers l'est, vers le soleil levant et le Mont Hood [le plus élevé de la région, avec son sommet enneigé à 3 428 mètres]. » — « Pensez-vous qu'une seule personne aurait fait ces mouflons ou plusieurs ? » — « Oh, une seule, bien entendu. On ne pouvait laisser une vision inachevée. Il fallait la concrétiser sur la roche. » Nous eûmes alors la même pensée, car nous venions d'un Congrès international, à Ripon, dans le Wisconsin, où l'un de nos collègues s'était livré publiquement à une violente attaque contre ce type d'interprétations, prétendant qu'il n'existait aucun témoignage ethnologique fiable à leur sujet, que l'art rupestre était partout devenu fossile et qu'on ne pouvait rien dire de sa (ou ses) signification(s) sans tomber dans le délire. Quel démenti cinglant et imprévisible, à moins d'une semaine d'intervalle !

Ma troisième rencontre mémorable avec un Amérindien eut lieu à Zuni, dans le nord de l'Arizona. Notre petit groupe, sous la conduite de David Whitley, se rendait à Canyon de Chelly. Quelqu'un nous avait recommandé d'aller voir l'église de

Zuni si nous passions par là et en avions le temps. C'était une petite église catholique en adobe, de type mexicain. Elle avait été reconstruite depuis relativement peu de temps. À l'intérieur, deux hommes, montés sur un échafaudage, travaillaient sur des fresques. L'un d'eux vint à nous, l'autre nous jeta un bref regard et continua son travail. Notre interlocuteur nous expliqua que lui et son frère terminaient une œuvre entreprise de nombreuses années auparavant par des membres de leur famille. Leur grand-père avait reconstruit l'église tombée en ruines. Leur père avait commencé à l'orner de peintures traditionnelles. Ils poursuivaient son travail pour le mener à bonne fin.

Les fresques sur lesquelles ils s'affairaient occupaient les deux longs côtés de l'église. Elles se trouvaient entre deux et quatre mètres de hauteur au-dessus des cartouches d'un chemin de croix classique, tels qu'on les voit dans tant d'églises européennes, d'une banalité totale. En revanche, les peintures polychromes qui les surmontaient étaient remarquables, tant par la qualité de leur exécution que par les sujets figurés. Ces véritables œuvres d'art, détaillées, vivantes et expressives, représentaient des personnages de la mythologie zuni. À droite, les deux hommes de tête portaient les mêmes habits de cérémonie, riches et complexes. La coiffure du premier était surmontée de deux cornes de bison, tandis que le second n'en avait qu'une. J'en demandai la raison, si on pouvait la connaître. Constatant notre intérêt, notre interlocuteur ne se fit pas prier et nous passâmes plus de deux heures à lui poser des questions et à écouter ses explications. Le premier personnage, celui à deux cornes, connaissait l'histoire complète de la tribu et pouvait la réciter, mot à mot, avec les inflexions voulues. On ne devait rien y changer. Cela prenait six heures trente. Le second était son double, son remplaçant éventuel en cas de malheur. Lui aussi connaissait cette histoire sacrée, qu'on ne pouvait risquer de perdre, mais, n'étant pas le conteur titulaire, il n'avait droit qu'à une seule corne. C'est ainsi que les traditions orales se perpétuent.

À ce propos, il attira notre attention sur une autre figure, celle d'un homme plus petit, aux traits et aux vêtements moins distincts et moins détaillés que ceux des autres. C'était l'Homme-Écho. Nul ne savait plus exactement quels étaient son rôle et ses fonctions, car il était mort prématurément dans un accident de voiture, sans avoir pu former de successeur. C'était une grande perte pour la tribu. Ils essayaient de retrouver des renseignements à son sujet, dans les universités d'Albuquerque et d'UCLA à Los Angeles, au cas où des ethnologues auraient noté jadis les détails de son rôle, ce qui leur permettrait de récupérer un personnage de leur mythologie.

Nous lui demandâmes comment les croyances traditionnelles zuni pouvaient se combiner avec le catholicisme. « Il n'y a aucun problème de coexistence. Mon frère et moi sommes aussi de bons chrétiens. L'essentiel, c'est de croire au monde surnaturel et de mener des vies harmonieuses. Le reste, ce sont des détails qui n'ont rien de contradictoire. » Ce syncrétisme bon enfant me toucha et m'amusa. Plus encore lorsqu'il nous révéla que la dernière figure qu'ils comptaient peindre, au-dessus du chœur, serait celle du Christ portant un collier de turquoises, la pierre précieuse entre toutes des Amérindiens du sud-ouest. Sans doute cette œuvre est-elle finie maintenant. J'espère revenir un jour à Zuni voir le Christ avec son collier indien et demander si l'Homme-Écho a été retrouvé.

Toujours sous la conduite de David, j'ai passé quelques jours dans la région de Chalfont, en Californie. Notre première impression fut que les gravures rupestres ne se trouvaient pas n'importe où, mais uniquement sur des rochers de grandes dimensions. Nous en eûmes la confirmation le lendemain en visitant un site très éloigné, après avoir suivi pendant plus d'une demi-heure une étroite piste chaotique au milieu du désert parsemé d'épineux et de cactus. Le lieu était en effet spectaculaire, avec des cirques de falaises démantelées et des quantités de gros blocs épars sur les pentes. Cela expliquait son choix pour des dessins et des cérémonies. Toutefois, la roche, une espèce de tuf volcanique à la surface tendre extrêmement corrodée et granuleuse, ne se prêtait absolument pas à la gravure. En conséquence, les figures se voyaient difficilement et paraissaient frustes. L'aspect spectaculaire du lieu et les résonances qu'il inspirait aux visiteurs avaient de toute évidence primé sur les considérations techniques de réalisation des œuvres et sur leur apparence finale. Le choix du lieu et le geste importaient, non la qualité de la roche et le résultat.

J'en ai eu un autre exemple, des années plus tard, dans l'Utah. En compagnie d'un de mes collègues de Moab, Craig Barney, j'étais allé voir des gravures dans l'un des canyons proches de cette petite ville. Nous étions dans un site superbe, au pied de falaises impressionnantes, aux parois lisses et belles, parfaitement adaptées à la gravure. Or les gravures ne se trouvaient pas aux endroits propices où nous nous serions attendus à les trouver, mais sur des panneaux à première vue moins adéquats et prometteurs. J'en fis la remarque à Barney, évoquant les cavernes européennes où l'on constate le même phénomène. Se pourrait-il que la roche elle-même ait rejeté le dessin ? Riant, il me dit que j'avais mis dans le mille... Il fréquentait depuis de nombreuses années les Hopis et les connaissait assez pour parler de ces problèmes avec eux. Il fallait effectivement que la paroi accepte d'être gravée ou peinte. Cela demandait une longue méditation et une communion avec la roche avant de savoir si elle vous acceptait ou vous refusait. Comme Barney s'en étonnait auprès d'un interlocuteur hopi, il lui fut répondu vertement « Peindrais-tu sur le visage de ta mère si elle ne le voulait pas ? ».

Revenons à Chalfont, où les vulves gravées étaient particulièrement nombreuses (fig. 3). David pensait qu'il s'agissait de pratiques de sorcellerie, le sexe féminin étant réputé maléfique dans certaines tribus. J'imaginai les Indiens Paiutes de ces lieux, il y a quelques siècles, venant là, auprès des falaises sacrées, à la recherche de visions, après avoir jeûné pendant plusieurs jours. Dans la solitude du désert, sous le soleil, ils se concentraient, chantaient les chants traditionnels, et ils finissaient par recevoir une image, ou des images, celles des puissances

Fig. 3. Panneau de vulves gravées à Chalfont (Californie, États-Unis).

surnaturelles qu'ils étaient venus solliciter. Quand leur esprit revenait et réintégrait leur corps, ils matérialisaient leur vision sur la roche, pour ne pas l'oublier, pour conserver leur pouvoir et l'utiliser, comme le faisaient de nombreuses autres tribus, jusque dans le nord-est près de la côte du Pacifique. Au pied de ces falaises, je les sentais tout proches, malgré le temps écoulé.

Au début du mois de juin 2008, après des conférences au Colorado, j'allai visiter un site d'art rupestre nouvellement découvert non loin de Moab, dans l'Utah, par Quentin et Pamela Baker. Nous étions accompagnés d'une autre collègue spécialiste d'art rupestre, Carol Patterson, et d'un Indien Ute, Clifford, *medicine-man* âgé et respecté, avec lequel Carol travaillait depuis longtemps et qui la tenait en confiance. Il faisait très chaud et l'accès au site était escarpé. Après une longue montée, essoufflés, nous nous sommes assis pour récupérer. Je vis alors, à une trentaine de mètres seulement, un animal qui, à première vue, me fit penser à un bouquetin. C'était une femelle mouflon adulte (*bighorn*). Elle nous regardait paisiblement, sans bouger (fig. 4). Je pris doucement mon appareil photo et commençai à la photographier, après avoir fait signe à mes compagnons, sans un mot, pour ne pas effaroucher la bête. Au bout d'un moment, elle partit, sans se presser, et traversa le long cirque rocheux, s'arrêtant de temps en temps pour nous

Fig. 4. Femelle mouflon qui, selon le *medicine-man* qui nous accompagnait, était l'esprit des lieux qui nous accueillit et se laissa photographier lors de notre visite d'un site orné de l'Utah (États-Unis).

contempler à nouveau. Cette rencontre inopinée, en ces lieux retirés, me ravit. Clifford se mit alors à chanter, ou plutôt à psalmodier un air indien sans paroles. Après quoi, il prit dans sa poche une blague de tabac natif et en jeta des pincées aux quatre points cardinaux. Cela me rappela ma première aventure californienne. Nous sommes ensuite allés visiter le site et ses grandes figures humaines peintes en rouge.

Notre visite terminée, nous sommes rentrés à Moab. Clifford, dans la voiture, chanta soudain le même air, cette fois en s'accompagnant d'un petit tambourin. Personne ne posa la moindre question. Nous logions chez Quent et Pam. Le soir venu, à la fin du dîner, Quent posa à Clifford une question délibérément neutre : « *Cliff, what did you think of the site ?* » (« Qu'avez-vous pensé du site ? »). La réponse fut d'abord banale, mais la suite le fut moins : « Oh, c'est un très bon site. » Il ajouta, et j'ai noté ses paroles exactes immédiatement après : « Mais vous savez, cet animal, ce n'était pas un animal, c'était l'esprit du site [*the spirit of the site*], qui nous accueillait. Elle nous a acceptés. C'est pourquoi une chanson m'est venue [*a song came to me*], une chanson sans paroles. Elle m'est venue aussi dans la voiture. Il a fallu que je la chante. C'est pourquoi j'ai offert le tabac. » Il ajouta aussi, dans la conversation et sans qu'on le lui demande, que ce lieu serait « un très bon site pour la recherche de visions » (« *a very good vision-questing site* »).

Ce témoignage spontané d'un ancien respecté nous éclaire sur plusieurs points. Les recherches de visions restent une pratique vivante et elles sont souvent liées à des sites d'art rupestre, comme on le sait par de nombreux témoignages anciens ou récents. Surtout, l'identification de l'animal présent en tant qu'esprit des lieux illustre la différence d'attitude entre la nôtre, matérialiste, et une culture traditionnelle pour laquelle tout événement est signe et où aucune frontière n'existe entre le domaine naturel et celui des forces et des créatures que nous appellerions surnaturelles.

*

En Amérique latine, les traditions anciennes ont disparu dans la majorité des pays. Il y existe cependant des milliers de sites ornés, dans des abris, sur des roches, beaucoup plus rarement dans des grottes profondes (Mayas d'Amérique centrale, cf. Stone 1997). J'ai pu en voir certains et apprendre à chaque visite. J'en donnerai quelques exemples.

Parmi les régions et les sites que j'ai longtemps souhaité connaître, ceux de Baja California, au Mexique, occupaient une place spéciale. J'y suis enfin allé, à quatre reprises, et j'ai passé plusieurs semaines dans la Sierra de San Francisco de Baja California Sur, où la majorité des grands abris ornés se trouvent dans des canyons dont l'accès demande des heures de chevauchées sur une mule.

À Pintada, très grand abri orné de centaines de peintures, j'ai remarqué des ressemblances avec l'art des cavernes paléolithiques de France et d'Espagne. Les superpositions de figures, fréquentes, témoignaient de la sacralisation de la paroi par les premiers dessins. Les successeurs des premiers artistes ne les ont pas effacés. Ils ont ajouté leurs propres créations, profitant du pouvoir attribué à ces images initiales et le renforçant par leurs propres œuvres. Autre ressemblance avec l'art des grottes européennes : les nombreuses utilisations des reliefs naturels. Ici, des bosses de la paroi ont servi à matérialiser le ventre gonflé de femmes enceintes, là des contours de la roche ont permis de figurer des têtes et des pattes animales.

J'ai constaté le même phénomène ailleurs, par exemple à Boca de San Julio, sur le versant gauche d'un canyon adjacent à celui de Pintada. Il ne s'y trouvait qu'une quinzaine d'animaux, mais ils étaient très grands (environ deux mètres cinquante) et bien conservés. Au centre, un grand cerf tourné vers la gauche, au ventre noir et au dos rouge, avait les pattes dessinées en extension afin de suivre les contours de la roche. Juste au-dessous de lui et à sa droite, la convexité de la paroi avait permis de matérialiser l'arrière-train d'un autre cervidé peint en rouge. Dans ce même abri, une ligne de dix points rouges, une autre de points noirs, une série horizontale de tirets blancs, sur trois mètres de long, recoupés par un long trait, évoquaient eux aussi les signes géométriques du Paléolithique. En revanche, un homme tuant un condor avec une flèche blanche, un autre homme et des oiseaux (sans doute des vautours) étaient des thèmes étrangers à l'Europe et propres à la Baja California. Une biche, à Brinco, avait l'œil constitué par une pierre de la paroi.

Cet art, malgré des différences dans le traitement des sujets d'un abri à un autre, présente une grande homogénéité dans toute la région, comme l'art des cavernes en Europe. Il répond, comme ce dernier, à des préoccupations identiques et met en scène des thèmes communs aux groupes humains qui le réalisèrent.

L'abri de San Gregorio I était de toute première importance. Son fronton, décoré de façon très spectaculaire d'humains de grande taille et d'animaux, se voyait depuis l'autre versant de la vallée. Un matin, au lever du soleil, je suis allé juste en face attendre patiemment que les rayons l'atteignent et l'illuminent, non sans penser que, peut-être, bien d'autres en avaient fait de même avant moi. La voûte plafonnante était surchargée de figures, avec, entre autres, un grand serpent blanc et des oiseaux. Cet abri présentait la double logique commune aux grottes paléolithiques : l'aspect monumental du fronton contrastait avec le plafond couvert d'un enchevêtrement de figures beaucoup plus petites que l'on ne pouvait distinguer qu'allongé sur le dos depuis un endroit bien précis. Cet art était fait pour être vu, mais une partie semblait aussi avoir été réalisée pour elle-même.

En 1997, avec deux collègues et amis, George Chaloupka (Australie) et Antonio Beltrán (Espagne), invités par André Prous, professeur à l'université de Belo Horizonte, au Brésil, nous sommes allés voir des abris ornés spectaculaires, dans la vallée du Peruaçu, au nord de l'État de Minas Gerais, dont la candidature à la Liste du Patrimoine mondial de l'UNESCO était alors envisagée. Ce fut une aventure bien organisée. Le gouverneur de l'État nous prêta son avion et son pilote. Dans le luxe de cet appareil officiel, nous avons survolé les immenses étendues brésiliennes et les flots boueux du grand fleuve Saô Francisco avant de nous poser sur un terrain de fortune, où des 4 × 4 nous attendaient.

Après une nuit passée dans le seul hôtel d'une petite ville isolée, nous voilà partis pour la jungle. Au bout de quelques kilomètres de pistes, il fallut laisser les 4 × 4 et poursuivre à pied. Deux guides locaux ouvraient la marche. Eu égard à son grand âge, notre ami Antonio eut droit à un cheval pour une partie du parcours. C'était la première fois de sa vie qu'il montait. En vue d'un gros étang, nos guides nous firent faire un détour, car un anaconda de huit à neuf mètres y vivait et il valait mieux éviter de s'en approcher. Ce jour-là et les jours suivants, nous avons visité plusieurs très grands abris peints. Les motifs, multicolores (rouges, noirs, jaunes), étaient essentiellement géométriques et très diversifiés. Les humains et les animaux (serpents, etc.) étaient présents mais plus rares. Dans certains cas, les peintures couvraient une bonne partie de la falaise, jusqu'à une dizaine de mètres de hauteur, ce qui impliquait des moyens d'accès artificiels.

Outre la forte dominance des « signes » sur les figures naturalistes, deux constatations m'ont frappé. Toutes les peintures étaient sur des surfaces éclairées ou au pire dans la pénombre. J'en eus la confirmation à Ballet, site orné à cinquante kilomètres de Belo Horizonte, où, dès le début de la zone obscure, les peintures disparaissaient. De toute évidence, il fallait les réaliser sur les parties éclairées et cela témoignait d'une défiance ou d'un tabou à l'égard des grottes profondes. Je pensai que c'était exactement l'inverse pour la grotte Chauvet (Ardèche), où les peintures commençaient dans le noir, tandis que la première grande salle, en zone de pénombre, en était dépourvue.

Avant d'arriver à un grand abri, nous avons traversé une jungle épaisse. Nos deux guides ouvraient un étroit passage à la machette. À un certain moment, ils s'arrêtèrent et nous avertirent qu'un puma logeait à une extrémité de l'abri. S'il était là, nous ne pourrions pas voir les peintures proches et nous nous contenterions de celles situées à l'autre extrémité. Cela ne me convainquit guère et je demandai si nous ne risquions pas de nous faire tout de même attaquer. On me rassura : le puma, animal territorial, n'attaque que si l'on franchit une certaine limite virtuelle. Je m'attendais à voir nos guides étudier des traces pour savoir si l'animal était ou non présent. En fait, ils se mirent à humer l'air de tous côtés et conclurent de concert qu'il n'était pas là et que nous pouvions nous approcher sans crainte. Dans notre civilisation, nous avons quelque peu oublié d'utiliser notre système olfactif comme moyen de connaissance et de défense. Je me dis in petto que ceux qui fréquentèrent la grotte

Chauvet il y a trente-cinq mille ans ne devaient pas procéder autrement que nos guides pour s'assurer que les profondeurs de la caverne n'abritaient pas un ou deux ours des cavernes...

En Argentine, la Cueva de las Manos, au fin fond de la Patagonie, non loin du célèbre glacier de Perito Moreno, est un lieu tout à fait particulier, célèbre pour ses huit cents mains négatives, qui lui ont valu d'être placé sur la Liste du Patrimoine mondial en 1999. D'après les recherches de nos collègues argentins, particulièrement du regretté Carlos Gradín et de son équipe, les plus anciennes remonteraient à plus de neuf mille ans et le site aurait été utilisé pendant de nombreux millénaires (fig. 5).

Les raisons pour son choix comme lieu de culte et de cérémonies sont évidentes. La grotte s'ouvre exactement au milieu d'un massif rocheux du bien nommé Rio Pinturas, juste au pied d'une falaise d'environ soixante et dix mètres de haut. Elle domine un talus approximativement de même hauteur. C'est une cavité profonde de vingt-quatre mètres, à la large entrée, car elle mesure quinze mètres de large pour dix mètres de haut. Elle est donc très apparente dans le paysage. Son environnement immédiat imposant et spectaculaire, cette bouche d'ombre béante au centre de la montagne, ne pouvaient manquer de susciter l'idée qu'il se trouvait là une porte ouverte sur l'autre monde, un lieu marqué par le sacré et par les forces qui régissent la vie.

Le problème majeur de l'accumulation des mains négatives reste celui de la signification profonde de ces actes. Apposer sa main sur la paroi et la cerner de couleur peut découler de motivations diverses. C'est parfois un geste sans importance, une affirmation élémentaire de la personnalité, un peu comme les graffiti (« je suis passé par là »). Nous verrons des témoignages de ce type en Australie. Dans le contexte d'un art magico-religieux, en revanche, comme à la Cueva de las Manos où ces mains sont associées à d'autres représentations complexes, animaux, humains et signes, dans un site choisi en fonction d'une grotte ouverte au cœur d'une falaise géante, les chances d'un tel comportement sont quasi inexistantes.

Le plus plausible serait à l'évidence la volonté de tirer parti d'un lieu chargé de pouvoir, au cours de cérémonies dont nous ne saurons jamais rien. La main et la peinture qui la couvrait établissaient un lien entre les puissances occultes et l'homme, la femme ou l'enfant qui faisait le geste. Des circonstances particulières, la maladie par exemple, pouvaient rendre ce rite souhaitable.

Cette hypothèse n'explique pas tout, loin de là. Pourquoi représenter, par la même technique, des pattes de ñandu, sorte de grand volatile de la Patagonie ? Les diverses couleurs avaient-elles une fonction propre ? Étaient-elles associées à des personnages de sexe ou de statut différents ? Quelle était la relation des mains avec les autres motifs auxquels elles sont si souvent associées ? Beaucoup de travail — d'analyse, de réflexion et d'interprétation — reste à faire. Peut-être les comparaisons avec d'autres sites voisins apporteront-elles des éléments de solution.

Nous sommes revenus sur les lieux pour un dernier regard à la Cueva, cette fois de l'autre côté du canyon d'où l'on domine la vallée à l'extrême bord d'une vertigineuse falaise à pic. Devant nous, le massif rocheux où elle se trouvait était au soleil et le noir de la grotte tranchait sur la clarté des parois illuminées. Nous sommes descendus dans le canyon par une pente des plus raides, dans un éboulis, grâce à une large ouverture entre deux pans de falaise, sorte de porte monstrueuse ouvrant sur le site, juste en face de la caverne. Comment ne pas rêver et imaginer que c'était par ce passage impressionnant que se faisait l'accès à la grotte sacrée ?

AUSTRALIE

En 1992, à l'occasion d'un Congrès sur l'art rupestre à Cairns, dans le nord-est de l'Australie, j'ai participé à une excursion dans la région de Laura (péninsule du Cap York), organisée par un de nos collègues, Percy Trezise, âgé alors de 67 ou 68 ans, et par ses fils. Ils avaient monté une sorte d'agence spécialisée dans ce genre de safari en pleine brousse australienne (le bush). Je connaissais Percy de nom et de réputation, car il avait découvert et révélé la majeure partie des sites d'art rupestre de la région de Laura. Par chance, j'ai eu l'occasion de beaucoup parler avec lui et de mieux connaître ce personnage extraordinaire. Pendant des années, il avait été *bush-pilot* (pilote de brousse), se posant partout où une urgence l'appelait. Il procéda ainsi à de multiples évacuations sanitaires et sauva de nombreuses vies, souvent au péril de la sienne. Les Aborigènes lui en furent reconnaissants. Il se lia d'amitié avec certains et fut même adopté dans une tribu et initié.

Depuis son avion, il avait repéré d'innombrables abris dans les rouges falaises qui parsemaient le bush, et, dans certains cas, il avait cru y apercevoir des peintures. Il y revint, au fil des ans, avec ses guides indigènes. Il passa des mois dans le bush qu'il explora systématiquement, découvrant un site orné après l'autre. Quand il prit sa retraite, il acheta d'immenses étendues de cette terre boisée, sauvage et désertique, et il y fit construire un camp de base, où, désormais, il passa plusieurs mois par an à la saison sèche. Il appela cette base Jowalbinna Bush Camp, d'après le nom aborigène d'une grande falaise rouge toute proche.

Notre groupe, sous sa conduite, vit beaucoup d'abris ornés en ces quelques jours. Chaque fois, Percy annonçait sa présence, criant : « *Hou, Hou ! Anybody there ?* ». Lorsque je lui ai demandé pourquoi, il m'a répondu que c'était par politesse à l'égard des esprits qui hantaient ces lieux. « Vous croyez vraiment, Percy, qu'il y a là des esprits ? » — « Mais non, mon vieux, bien sûr que non, mais ça ne peut pas faire de mal... » Prudence et sagesse d'un vieil habitué du bush, mais aussi attitude traditionnelle millénaire ! Il nous raconta qu'un jour, avant de pénétrer dans un abri au pouvoir particulièrement redoutable, son mentor aborigène, qui transpirait abondamment, se passa les mains sous les aisselles pour les enduire de sa sueur, et lui en frotta le visage et le corps, afin que les esprits reconnaissent une odeur familière et ne lui soient pas hostiles. Nous n'avons heureusement pas été contraints de prendre ces précautions extrêmes.

À la différence des motifs présents dans les grottes européennes, les figurations humaines y abondaient. Quelques humains, la tête en bas, d'autres allongés, mordus par des serpents, témoignaient de scènes d'envoûtements et de maléfices. Ils dataient pour la plupart du Contact : les Aborigènes, qui ne pouvaient lutter à armes égales avec les Blancs armés de fusils, avaient recours à la magie. On connaît la suite... Les plus curieuses de ces représentations étaient les Quinkans, sortes d'esprits malicieux, mâles ou femelles, redoutables pour le voyageur.

Le Quinkan mâle était doté d'un énorme pénis qui, disait-on, lui servait à bondir de place en place, franchissant des kilomètres d'un seul saut (fig. 6). La persistance des traditions et des histoires constitue l'une des originalités et des intérêts majeurs de l'art aborigène. Percy se délectait de nous les raconter, telles qu'elles lui avaient été transmises par ses informateurs indigènes.

Par exemple, pour atteindre un site qu'ils appelaient Yam Dreaming, Percy et son fils Steve nous firent passer par un passage rampant. D'après eux, il symbolisait l'initiation, c'est-à-dire la renaissance dans le monde des esprits. Après l'avoir franchi, l'initié renaissait dans le monde des Yams (ou ignames, sortes de tubercules comestibles). Les Yams étaient les ancêtres mythiques de certains groupes. Sur les parois, des peintures rouges bien conservées figuraient des Yams, soit sous leur forme réelle, soit partiellement transformés en humains — ou inversement. On y voyait aussi beaucoup de « renards volants » (*flying foxes*), gigantesques chauves-souris ainsi dénommées à cause de leur odeur *sui generis*. Les artistes avaient représenté les *flying foxes* pendus, la tête en bas. Ils témoignaient d'autres histoires.

À deux cents kilomètres au sud de la capitale du nord de l'Australie, Darwin, le Parc national du Kakadu, lui aussi classé sur la liste du Patrimoine mondial, est en grande partie ouvert au public. J'y ai passé plus d'une semaine en 2000, grâce à l'hospitalité de mon collègue et ami George Chaloupka, qui en connaît les richesses archéologiques mieux que quiconque et qui m'y a fait visiter nombre d'abris ornés, certains fort éloignés et perdus dans le bush.

En revanche, le site le plus connu, Nourlangie Rock (cf. Chaloupka 1992), est envahi en permanence par des hordes de touristes. Malgré la cohue, j'ai été impressionné par les grandes compositions d'un des derniers grands artistes rupestres aborigènes, Nayombolmi, surnommé Barramundi Charlie par les Européens. En 1964, un an avant sa mort, il vint sur ce site, dont le vrai nom aborigène est Burrunguy. Il était déprimé, à juste titre hélas, par les changements qu'il constatait dans son pays et par la perte des traditions de son peuple. Avec les pigments traditionnels, il immortalisa les gens qui avaient vécu dans ces abris et leurs puissants esprits, les faisant revivre et les pérennisant sur les parois. On y voit deux groupes familiaux, hommes et femmes, dont certaines ont du lait qui coule de leurs seins. L'un des esprits les plus notables est Namargon, l'Homme-Foudre (the Lightning Man). Autour de son corps, un large demi-cercle représente la foudre. Des haches de pierre lui sortent du crâne, des coudes et des genoux. Il s'en servait pendant la saison des pluies pour frapper les nuages et en faire tomber les éclairs (fig. 7).

Un autre abri appelé Nanguluwur, lui aussi très important, est beaucoup moins fréquenté, car son approche nécessite une marche de deux kilomètres en plein soleil. Algaigho, la Femme-Feu, l'une des Premières Gens qui créèrent le monde, associée de Namargon, y est représentée (fig. 8). Elle planta le banksia jaune dans les bois et utilisa ses fleurs brûlantes pour transporter le feu. Elle chassait l'opossum des roches avec l'aide de chiens sauvages, les dingos. Les gens la craignaient, car elle pouvait les brûler et même les tuer. Plus à droite, une autre femme était allongée et d'autres humains debout. C'étaient des Nayuhyunggi, esprits créateurs qui ont donné leurs lois fondamentales aux futures générations. Certains prirent des formes humaines, d'autres se changèrent en animaux. Tous étaient dotés de pouvoirs spéciaux. On les appelle aussi des Namandi. Invisibles aux gens ordinaires, ils vivent dans les grottes ou dans des arbres creux et n'en sortent que la nuit. Ils peuvent attirer les humains dans leurs retraites en leur demandant de s'approcher. Les Namandi mangent de la chair humaine. Ils ont les orteils et les bouts des seins allongés, six doigts à chaque main et ils transportent des sacs (*dilly-bags*) où ils conservent le foie, les poumons, le cœur et les reins de leurs victimes.

Ubirr est un autre grand abri du Kakadu, très visité. Parois et voûtes sont couvertes d'une multitude de peintures, souvent superposées. On comprend qu'il ait été un centre important pour l'habitat et pour les pratiques cultuelles. J'en ai eu la révélation et la certitude pendant le court survol, dans un petit avion, de toute cette partie de l'Arnhem Land jusqu'à la côte. Ubirr se trouve tout près des Wet Lands, terres marécageuses aux ressources spécifiques. C'était donc une zone de contact entre deux mondes et la nourriture devait abonder en ces lieux liminaires bénis des esprits.

Lors du même voyage en Australie, pendant l'été 2000, je me suis rendu en d'autres régions et sur d'autres sites, dans le centre du pays et dans le Kimberley, au nord-ouest.

La ville de Katherine, entre Terre d'Arnhem et Kimberley, est un peu un passage obligé, dans un sens ou dans l'autre. J'ai passé une journée à en remonter les gorges et je me rappelle avoir vu, sur de hautes falaises, des peintures représentant entre autres un personnage la tête en bas et un grand serpent paraissant sortir d'un trou de la roche, mythe éternel et ubiquiste. Le serpent, comme l'oiseau et le lézard, est un animal spirituellement puissant, puisqu'il évolue entre deux mondes, celui où nous sommes et le monde souterrain des esprits.

Dans le centre du continent, au cours d'un Congrès à Alice Springs, j'ai eu la possibilité de visiter plusieurs sites d'art rupestre. Sur celui d'Emily Gap, je fus guidé par une collègue, June. Pour y accéder, nous avons dû traverser une grande poche d'eau, tenant nos appareils photos à bout de bras, l'eau (froide) nous venant jusqu'à la taille. De l'autre côté de l'eau, les roches étaient peintes de grandes bandes verticales noires et rouges, comme des blasons, sur toutes les surfaces disponibles. L'un des motifs était surmonté d'une barre perpendiculaire aux autres. June me dit que cela faisait référence à des femmes qui avaient vu le site alors qu'elles n'auraient pas dû, car il était réservé aux hommes, et plus particulièrement à l'initiation des jeunes garçons. À une époque déjà ancienne, il y a un siècle ou plus, des policiers à cheval, qui avaient arrêté des femmes aborigènes pour quelque méfait, réel ou supposé, avaient emprunté ce passage avec leurs détenues. Les femmes protestèrent et refusèrent d'y passer, mais elles y furent contraintes. Elles se cachèrent les yeux et s'efforcèrent de ne rien voir. Malgré ces précautions, après leur libération, elles furent tuées à coups de sagaies pour avoir enfreint, même involontairement, le puissant tabou. Actuellement, le tabou est levé, de sorte que le site est accessible aux femmes.

Sur le même site, ma guide m'a fait remarquer un arbre dont les branches, agitées par le vent qui souffle en permanence dans cette trouée, tapaient contre des peintures et les détruisaient peu à peu. Elle l'avait dit aux vieux Aborigènes gardiens traditionnels du site et elle leur avait suggéré de les faire couper pour protéger les dessins. Ils furent horrifiés, car les arbres avaient pour eux une valeur spirituelle au moins égale à celle des peintures. Pour certains groupes, ils représentaient les âmes des morts. Couper ces arbres aurait été un véritable crime à l'égard des ancêtres.

Ces quelques exemples, sur un art relativement récent, montrent à quel point la signification des images peut être complexe et combien nous sommes démunis et appauvris lorsqu'elle s'est perdue et que nous sommes confrontés — comme c'est la plupart du temps le cas dans le monde et toujours pour les grottes ornées européennes — à des images devenues fossiles. S'ils nous permettent de mieux comprendre la façon de penser des populations qui ont créé ou utilisé cet art, et, par analogie et par extension, celle des peuples disparus, ils nous incitent aussi à la prudence dans nos interprétations.

Dans le lointain Kimberley, que l'on atteint après des centaines de kilomètres de route puis de pistes, le site de Merrele est un vrai paradis, avec un petit lac bordé de grands arbres et une cascade. Sur la gauche, une série de Wandjinas, peints sur un fond blanc, paraissaient tout récents. Grossiers et mal faits, ils n'avaient rien de la sophistication des peintures traditionnelles. Je demandai à notre guide aborigène, Paul Chapman, un ancien de la tribu, ce qu'il pensait de ces peintures modernes, me gardant de laisser paraître ma déception. Avec un geste accablé, il me répondit : « C'est terrible ! ». Je lui demandai : « Y a-t-il eu des cérémonies ? ». Réponse : « Pas de cérémonies. Ce sont des jeunes qui l'ont fait. » — « Pourquoi ? » — « Pour de l'argent. »

De retour à Darwin, je me suis renseigné sur cette triste affaire[1], après avoir vu au cours du voyage cinq sites ainsi défigurés. Cette entreprise a été lancée et financée officiellement en 1986, dans le cadre d'un Commonwealth Employment Grant de cent dix mille dollars australiens (75 000 euros environ). Cela fut fait avec les meilleures intentions du monde, pour donner du travail à neuf jeunes Aborigènes au chômage, garçons et filles, de la Wanang Ngari Association de Derby, dont le président était alors le célèbre et médiatique David Mowaljarlai, de la tribu des Ngariniin. Il s'agissait de les faire retourner aux sources pour qu'ils renouent avec leurs racines, alors que la grande majorité des jeunes Aborigènes en sont coupés. Ils auraient pu dessiner sur n'importe laquelle des innombrables roches du pays dépourvues de peintures anciennes. Non. Ils choisirent de repeindre huit abris anciennement ornés et ils détruisirent des œuvres admirables. Ceux qui ont connu ces abris tels qu'ils étaient avant ces actes de vandalisme culturel subventionné en étaient encore tout émus. Le travail fut mené sans la moindre supervision,

1. J'ai pu le faire grâce à mon ami George Chaloupka, qui avait constitué un énorme dossier (lettres, coupures de journaux) sur ces faits et qui m'a permis d'en prendre connaissance à loisir pendant les quelques jours que j'ai passés chez lui.

en dehors de la tradition ancestrale, comme me le confirma Paul Chapman, ce vieil Aborigène respecté. Plusieurs personnes, à l'époque, dont Lorin Bishop, propriétaire de la station de Mount Barnett, eurent le courage de protester vigoureusement, bien que ce ne fût pas politiquement correct. Devant le scandale, le projet, prévu pour continuer, en resta là, mais beaucoup de dégâts avaient déjà été commis.

Le journal *West Australian* du 8 août 1987 s'est fait l'écho de cette histoire. Il rapporte que « les anciens de la tribu ont été bouleversés par cette action qui allait à l'encontre de traditions vénérables. Seuls, les anciens, qui, pendant leur jeunesse, ont subi un apprentissage, sont censés retoucher les Wandjinas. Les femmes, disent-ils, n'auraient pas dû y participer ».

Plusieurs responsables officiels s'érigèrent en faux contre les témoignages indignés de Lorin Bishop et d'autres amateurs d'art rupestre, et ils réfutèrent les arguments avancés. « Le Directeur des sites aborigènes, Mr. Mike Robinson, dit que le rapport [du Western Australian Museum] montrait que les protestations de M. Bishop étaient peu fondées. Les peintures avaient été rehaussées [*enhanced*] de manière traditionnelle, et n'avaient pas été aveuglément profanées. Les anciens et les gardiens furent consultés et en général donnèrent leur accord à ces restaurations [*renovations*]. » Une semaine plus tard, le même journal reprit l'affaire et donna une photo du Crocodile Shelter, que je devais visiter et photographier sur le chemin du retour de mon voyage dans le Kimberley. Il cita David Mowaljarlai qui affirma : « Nous n'avons pas utilisé des matériaux modernes [*shop materials*] au Mont Barnett [...], mais, si nous l'avions fait, ç'aurait été notre affaire. » M. Colbung, membre du Western Australia Cultural Materials Committee, « dit que les plaintes sur l'effet prétendument criard [*garish*] des restaurations trahissaient un manque de connaissance des traditions aborigènes ». Cela, parce que les Aborigènes ont de tout temps restauré les peintures et que, dans un lointain passé, elles apparaissaient beaucoup plus vives et brillantes qu'elles ne le sont de nos jours.

Ces arguments sont aussi spécieux qu'infondés. Les peintures anciennes n'ont été ni « rehaussées » ni « restaurées ». L'emploi de ces termes inappropriés vise à accorder une légitimité de fait à l'entreprise. Comme j'ai pu le constater de mes propres yeux, et comme en témoignent les photographies réalisées, les dessins anciens ont été recouverts d'une couche de peinture blanche sur laquelle ont été dessinées de nouvelles figures. Ce qui est choquant, ce n'est pas que les couleurs de peintures anciennes aient été ravivées, ainsi que cela fut dit dans la presse de l'époque, car elles ne l'ont pas été. L'inadmissible, c'est que les appositions modernes n'aient pas respecté les originaux, qu'elles soient aussi frustes et maladroites, qu'elles contrastent à tel point avec les œuvres anciennes qu'elles sont censées remplacer et qu'elles aient été réalisées hors des procédures et des cadres traditionnels.

Quant à l'argument « C'est à nous, donc nous en faisons ce que nous voulons », il est doublement vicieux. Cet art collectif n'appartient pas à un individu mais à une communauté, dont un responsable actuel a déploré profondément, devant moi, les dégâts subis et leurs causes. Il appartient aussi à l'humanité entière. On peut imaginer le tollé mondial si le Pape faisait recouvrir la Chapelle Sixtine de barbouillages modernes par de jeunes chômeurs subventionnés afin de leur donner du travail et de les ramener aux pratiques chrétiennes. Pourquoi considérer les Aborigènes différemment des autres peuples ? Leur art aurait-il moins de valeur universelle que l'art européen ? Si certains décidaient une fois de plus de vandaliser l'art de leurs ancêtres, quelle serait l'attitude la plus respectueuse à leur égard : les y encourager et financer l'entreprise, comme s'il s'agissait d'enfants irresponsables qu'il conviendrait de gâter à tout prix, ou au contraire les traiter en égaux et leur dire que, ce faisant, ils aliéneraient un patrimoine exceptionnel et que leurs propres descendants ne manqueraient pas de leur en tenir un jour rigueur ?

Ce problème se pose et il se pose de façon aiguë. Un exemple m'atterra, deux jours plus tard. Nous étions à King Edward River Crossing, au passage de cette grande rivière, avec un groupe d'Aborigènes de la tribu des Wunambal. Deux d'entre eux, Wilfred Goonack et William Bunjuk, très âgés, étaient des initiés respectés, couverts de cicatrices rituelles. Ils étaient accompagnés du chef actuel, John Kandival, homme plus jeune dans la force de l'âge. Ces gens fiers, respectables, étaient conscients de la valeur de leurs connaissances, de leur art, et de notre vif intérêt. Ils étaient accompagnés d'une femme blanche d'un certain âge et d'une autre, plus jeune, qui filma notre rencontre en vidéo et m'expliqua qu'elle le faisait dans le cadre d'un projet d'enregistrement des histoires et des coutumes des Wunambal, pour la tribu elle-même. Ce projet m'a paru excellent. En effet, ces hommes d'âge ont vécu dans leur jeunesse comme leurs ancêtres l'avaient fait pendant des dizaines de milliers d'années. C'étaient des chasseurs-cueilleurs, comme les Magdaléniens. Dans un avenir proche, si ce n'est déjà le cas, les vieux seront tous partis, et ces derniers témoins d'un mode de vie qui fut celui de l'humanité pendant tant de millénaires auront à jamais disparu, avec leurs traditions et leurs histoires. Je me sentis honoré et privilégié d'en avoir rencontré certains et de les avoir longuement écoutés.

Pendant des heures, en effet, les anciens se sont prêtés à nos questions. Ils nous ont parlé de leur vie « d'avant », quand ils étaient jeunes et qu'ils mangeaient la nourriture du bush (*bush tucker*), des yams, des lys d'eau, des wallabies et tant d'autres richesses qu'offre la nature australienne. Pour se raser, les hommes s'appliquaient sur le visage de la gomme végétale qui arrachait les poils quand on l'enlevait. David Welsh, notre guide australien, médecin de son métier, les fit parler de leurs remèdes ancestraux : la tisane de fourmis vertes, salutaire pour l'estomac ; la gomme rouge que l'on appliquait sur les plaies ; le trou creusé dans le sol où l'on plaçait des lys d'eau et de l'écorce que l'on faisait brûler et que l'on recouvrait de terre, pour que ceux qui avaient mal au dos puissent s'y étendre et être soulagés.

Nous avons ensuite rendu une longue visite à un site superbe, couvert de têtes de Wandjinas qui semblaient nous contempler (fig. 9). Avant d'y accéder, John fit un petit feu odorant pour nous présenter aux esprits du lieu. Cela me rappela notre introduction à ceux du site de Rocky Hill, en Californie, ou les remarques de Percy Trezise avant d'accéder aux abris ornés.

Wilfred, le plus âgé du groupe, nous dit que les Wandjinas, appelés en fait Munnury, sont des esprits liés à la pluie et à l'orage. Quand le Wandjina cligne des yeux, la foudre en sort. Sa voix est le tonnerre. Les surfaces blanches à l'intérieur de la tête représentent les nuages. Les points noirs autour du crâne sont les plumes de cacatoès de sa coiffure et symbolisent les éclairs. Beaucoup d'histoires mythiques concernent les Wandjinas, ces personnages aux grosses têtes rondes et aux yeux démesurés qui nous regardent depuis la roche. Aucun n'a de bouche, car, selon certains, il en sortirait des torrents de pluie qui noieraient le pays. Mon ami George Chaloupka me dit que le culte des Wandjinas est probablement lié au Wet, la saison des pluies, des orages et des cyclones, si dramatique dans cette région tropicale.

Je remarquai que la peinture de certaines figures s'écaillait et que l'on pouvait distinguer nettement les couches sous-jacentes de repeints plus anciens. Ces Wandjinas avaient été restaurés de nombreuses fois, traditionnellement comme il convenait, et ils n'avaient rien à voir avec les pauvres caricatures vues les jours précédents. Y pensant toujours, je demandai à Wilfred Goonack : « Pensez-vous les repeindre ? ». Je m'attendais soit à une réponse négative, du type « Non, ils n'en ont pas besoin », ou positive du genre « Oui, ils sont en train de perdre leur pouvoir et ce sera bientôt nécessaire ». Ce ne fut hélas ni l'une ni l'autre. À ma profonde consternation, Wilfred me dit, et je cite mot pour mot : « *Sure, if we get the funding for it.* » (« Bien sûr, si on nous donne le financement. ») Peut-on encore parler de tradition vivante lorsque les activités sacrées dépendent du financement ? C'est comme si on demandait à un prêtre s'il dira la messe ce dimanche et qu'il vous réponde « Oui, si j'ai le financement ». On peut donc craindre que la sombre histoire de 1986 connaisse des rebondissements sous une forme ou sous une autre.

Avant de partir, j'ai demandé à Wilfred la signification de certains dessins près des Wandjinas. Il identifia un petit canard, un lys d'eau et des rhombes (*bull-roarers*), dont il refusa de dire le nom, car des femmes étaient présentes et c'est un instrument de musique masculin. Il mima l'action « *You know...* » et il fit tournoyer en riant un objet imaginaire.

La distinction entre *Man's business* et *Woman's business* (ce qui est du domaine masculin et ce qui est du domaine féminin) est en effet fondamentale en Australie, ainsi qu'ailleurs. J'en ai eu un exemple frappant lors d'un autre voyage sur ce continent. Cette fois-là, en 2006, je m'étais rendu dans le sud-est du pays, au nord de Sydney.

Mes collègues australiens Paul Taçon et John Clegg avaient organisé pour moi de nombreuses visites de sites ornées. Plusieurs se firent en compagnie d'Aborigènes du lieu. Par exemple, nous vîmes avec eux plusieurs abris ornés dans les Blue Mountains ou leurs environs. J'ai pu constater une fois de plus à quel point tout était significatif, dans l'art et son contexte. Ainsi, une barre gréseuse haute de six à sept mètres, truffée d'abris (Bora Cave), était consacrée aux cérémonies, alors que les habitats se trouvaient en face, à quelques centaines de mètres. Comme ce lieu servait de rassemblement à des groupes divers, les rites et les significations précises variaient. L'un des esprits puissants de cette région était l'Oiseau-lyre, représenté sur les parois de certains sites. Or, à notre arrivée, un Aborigène remarqua des empreintes de cet oiseau sur le sol de l'abri principal. Tous furent d'accord pour dire que c'était un excellent présage, car l'oiseau « était venu pour nous souhaiter la bienvenue ». C'était, de la part de ces Aborigènes, la même attitude que celle de Cliff, le *medicine-man* Ute quand il vit la femelle mouflon près du site orné où nous étions. On me dit aussi que le paysage importait : « *When the trees are leaning, this is good spirit country. When they are straight it's no good.* » (« Quand les arbres sont inclinés, c'est un bon terrain pour les esprits. Quand ils sont droits, ce n'est pas bon. ») Tout a un sens.

Je passai près d'une semaine dans la famille de Dave Pross, membre des Darkinjung. Lui et sa femme mènent une existence moderne dans une petite ville à une centaine de kilomètres de Sydney. Ils me logèrent dans une caravane au fond de leur jardin. Nous devînmes amis.

Tous les jours, nous allions dans le bush voir des gravures rupestres, représentant pour la plupart des animaux de grandes dimensions (plusieurs mètres), surtout des kangourous, sur la surface de roches plates ou légèrement convexes, à même le sol et non sur parois. Son petit-fils, âgé de six ou sept ans, et sa fille, institutrice, nous accompagnaient, ainsi que quelques amis.

Dave attira un jour mon attention sur un gros rocher isolé qui formait une sorte de minuscule abri, la partie inférieure quasi-plane et la partie supérieure inclinée. Il s'appelait Tiddilik Shelter, du nom d'une grenouille mythique qui se mit un jour à boire toute l'eau de la région, celle des mares et des ruisseaux, jusqu'à ce qu'il n'en restât plus une goutte. Les habitants, qui mouraient de soif, la supplièrent de la leur restituer, en vain. Le conseil des anciens décida qu'il fallait faire rire Tiddilik, ce qui, espérait-on, lui ferait régurgiter l'eau. Les gens se contorsionnèrent, firent les fous, mais la grenouille restait impassible. Ils finirent par en appeler au Dieu-Créateur, Baiame. Celui-ci créa alors le *platypus*, c'est-à-dire l'ornithorynque, animal d'apparence bizarre, à bec de canard et queue de castor. En l'apercevant, Tiddilik éclata de rire et recracha toute l'eau. Baiame, pour la punir, la transforma en rocher, la bouche ouverte. Le *platypus* devint un animal sacré qu'il était interdit de tuer. Dans ce cas, c'est la forme même de la roche, non ornée, qui avait suscité le mythe.

Un grand abri, de dix-huit mètres de long sur cinq à six mètres de haut, près de Milbrodale, était consacré à Baiame. Le dieu était monté au ciel au Mont Yengo. Les sept traits blancs figurés sur sa poitrine représentaient ses sept femmes (fig. 10). Comme il voyait tout, on lui donna de très grands yeux, et des bras immenses (exactement cinq mètres quarante) parce que, me dit-on, il rassemble les gens.

Un jour, Dave m'amena sur un site (Initiation Site), près de Somersby, menacé par des projets de construction. Il en avait fait l'évaluation pour les autorités et aurait souhaité qu'il fût préservé. Sa fille resta dans la voiture, car il s'agissait d'un lieu d'initiation des garçons au moment de leur puberté, donc interdit aux femmes. Des traits rectilignes, aussi profondément gravés que les grands kangourous, se trouvaient de part et d'autre de leur corps ou en direction d'une figure humaine. Dave se gaussa : « Il y a des années, un chercheur les a publiés comme des sagaies traversant le corps des animaux ! En fait, ces traits indiquent le chemin obligatoire à suivre par l'impétrant lors de la cérémonie d'initiation. Il passe d'une figure à l'autre et là il s'arrête pour le rite approprié, avant l'étape suivante. » Il me dit aussi que la queue des kangourous pointait vers une montagne sacrée, Wonderbane Mountain. Rien n'était laissé au hasard, tout avait un sens.

De retour chez lui, il me montra son rapport, rédigé quelques mois auparavant. Avant les photographies en annexe, une page portait un avertissement en grosses lettres : « WARNING. *Restricted viewing.* (...) *The Darkinjung Local Aboriginal Land Council advise that viewing the engravings, or images of the engravings from this site may be harmful to women.* » (« AVERTISSEMENT. Vue réservée. (...) Le Darkinjung Local Aboriginal Land Council avertit que de voir les gravures ou des images des gravures de ce site peut se révéler nocif pour les femmes. ») Ce n'était pas une interdiction formelle, plutôt une mise en garde : si une femme passait outre, libre à elle, mais elle serait responsable des conséquences maléfiques qui pourraient survenir. Cela nous apporte trois informations : le tabou à l'égard des femmes, justifié par le rôle du site ; la perpétuation des croyances de nos jours ; l'extension du tabou aux images (en l'espèce aux photographies) des gravures et pas seulement à ces dernières.

AFRIQUE

Bien que j'aie voyagé, en quête d'art rupestre, en Afrique du Nord (Maroc) et saharienne (Niger), dans l'Est (Kenya) et le Sud (Namibie, Afrique du Sud), je n'en ai ramené que peu d'anecdotes et d'expériences vécues en relation directe avec le propos de cet ouvrage.

Les témoignages ethnologiques abondent, cependant, et je m'y référerai ultérieurement. Pour le Sud, si l'art rupestre traditionnel s'est achevé, tragiquement, avec la fin de la présence des Bushmen dans le Drakensberg et autres lieux sacrés à la fin du XIXe siècle, l'on dispose d'une masse de renseignements recueillis in extremis par Wilhelm Bleek, à qui l'on doit beaucoup (Lewis-Williams 2003, 2010).

Je me contenterai de citer ici deux exemples.

Au cours de nos longues pérégrinations dans l'Aïr et le Ténéré, mon ami touareg Sidi Mohamed Iliès me raconta nombre d'histoires traditionnelles. J'en récoltai plus d'une vingtaine, qui furent publiées aux Éditions du Seuil sous le titre *Contes du désert* (Iliès 2003). Plusieurs ont trait à la Création du monde, dont celle du Hibou, qui mérite d'être rappelée.

Au commencement du monde, lorsque le Génie Créateur décida de convoquer l'assemblée des animaux pour définir leurs rôles respectifs, il envoya sa femme au Hibou pour lui porter le message. Celui-ci lui fit répondre qu'il n'irait pas à la réunion et que, de plus, lui ne se laissait pas dominer par sa femme. Le Génie Créateur fut très mécontent de sa double insolence. Pour le punir, il lui donna la faculté de tourner la tête à l'envers, pour montrer à tous que le Hibou ne pensait pas droit. En outre, seconde punition, il ne pourrait pas avoir d'enfants. C'est la raison pour laquelle, me dit Sidi sérieusement, le Hibou ne peut pas pondre. Il vole des œufs dans les nids d'autres oiseaux « ou même des œufs de serpent ». Il les ramène à son propre nid et les couve. En temps voulu, il en sort de petits hiboux, mais ce ne sont pas ses fils.

Cette histoire, toujours d'actualité, rappelle la double malédiction qui pèse, partout et toujours sur le Hibou. Oiseau lié à la nuit, il fait pivoter sa tête d'une manière qui ne paraît pas « naturelle ». En conséquence, il est souvent associé aux sorcières ou aux forces du mal et persécuté. Le hibou de Chauvet, dont la face est représentée en vue frontale, tandis que le corps l'est en vue dorsale, avec ses ailes et ses plumes, serait-il le premier exemple connu au monde d'une interprétation de cet oiseau comme un animal surnaturel ?

Le second exemple est un extrait des minutes du Greffe du Tribunal de Grande Instance de Lambaréné, République du Gabon (jugement correctionnel en date du 22 avril 1964 à Booué). Un homme était accusé d'avoir tué un de ses voisins.

« Attendu qu'il résulte des débats et du dossier sur B… E…, le 13 septembre 1963, s'est rendu à la chasse dans l'après-midi ; […] sous le feuillage, il vit venir à lui un chimpanzé, que celui-ci s'approchant de plus en plus de lui en hurlant, B… se vit dans l'obligation de le charger à la tête d'un coup de feu ; que le chimpanzé tomba et fit plutôt entendre un cri d'homme ; qu'il se redressa en homme et put encore faire plus de 1 000 mètres en forêt en courant, quand E… E… qui le rencontra, le prit par la main, que la victime s'affaissa et mourut sans rien dire ; qu'appelés au secours, les villageois vinrent, reconnurent et transportèrent au village le corps d'A… J… ; […]

Attendu qu'il est de notoriété publique au Gabon que les hommes se changent soit en panthère, soit en gorille, soit en éléphant, etc., pour accomplir des exploits, éliminer les ennemis ou attirer sur eux de lourdes responsabilités [...], que ce sont là des faits inconnus du droit occidental et dont le Juge Gabonais doit tenir compte [...] ;

Attendu que le Tribunal a l'entière conviction que A... J... s'est transformé en chimpanzé en forêt où il aurait été en chasse sans arme et à l'insu de personne, et que B..., notable, ancien combattant, largement décoré, plusieurs fois vainqueur des chimpanzés, ne pouvait pas tirer en plein jour sur un homme contre lequel il n'avait aucun antécédent défavorable ;

Par ces motifs, déclare B... E... non coupable des faits qui lui sont reprochés.

Enregistré à Lambaréné, le 25 mai 1964. »

ASIE

Le plus vaste, le plus divers et le plus peuplé des continents est aussi celui que, à mon grand regret, j'ai le moins fréquenté, du moins jusqu'à présent. De quelques semaines studieuses passées en Inde (2004)[1], en Thaïlande (2008) et en Chine (2000),

1. Je suis revenu beaucoup plus longuement en Inde en janvier et février 2011 et j'ai pu visiter de nombreux sites ornés dans la région de Pachmarhi (Madhya Pradesh), sous la conduite de ma collègue Meenakshi Pathak.

j'ai certes ramené une expérience directe de l'art rupestre de ces pays dans certaines de leurs régions, mais relativement peu d'informations directes ou indirectes sur les problèmes de signification. Cela est dû à la perte des traditions concernant l'art rupestre, attribué parfois, comme c'est souvent le cas dans le monde, à des héros mythiques ou à des esprits surnaturels, bons ou méchants (Clottes 2005b).

En Inde, cependant, la vie tribale est restée très vivace dans certaines régions et certaines formes d'art tribal rappellent de manière frappante des thèmes et techniques que l'on trouve dans l'art rupestre. Par exemple, « la tradition d'imprimer sa main sur les portes des maisons, des temples, de sites sacrés lors de cérémonies rituelles ou d'occasions festives telles la naissance d'un enfant, une cérémonie de mariage, etc., continue toujours » (Kumar 1992, p. 63)[1].

Chez les Saura du sud de l'Orissa, dans l'est de l'Inde, certains groupes, chasseurs-cueilleurs traditionnels pratiquant un peu d'agriculture, vivent en symbiose avec les esprits surnaturels, selon les termes du chercheur qui les a le mieux étudiés (Prad-

1. « *In India,* [*the*] *tradition of printing hands on the gates of houses, temples, sacred sites at ritualistic ceremonies, auspicious occasions like the birth of a child, marriage ceremony, etc., is still continuing.* »

han, 2004)[1] et leur « art, qui tire sa source dans leurs croyances et leurs mythes, fait partie intégrante de l'existence des Saura dans leur lutte pour la vie » (Pradhan 2001, p. 62)[2]. Cet art, que l'on trouve dans les maisons ou sur les portes, n'a pas changé depuis qu'il est connu.

Les trois étapes de la création et de l'usage de l'art des Saura ont été ainsi résumées : « Dans le premier stade, le chamane identifie l'esprit ou la puissance qui a causé la maladie ou la mort, ou que l'on doit se rendre favorable pour le bien-être de la famille dont on dessine l'icône. Dans le second, cette icône est dessinée soit par l'artiste (*Ittalamaran*) soit par le chamane (*kuranmaran*) si ce dernier sait dessiner. Dans le stade trois, l'icône est consacrée par le chamane dans un rituel complexe qui comprend l'invocation à tous les dieux et esprits du monde Saura et de l'esprit particulier en l'honneur duquel l'icône est préparée, pour qu'il vienne et occupe la maison. Toutes sortes de fruits, de racines, des graines et même du vin sont

1. Les Saura de la région d'Orissa « *live in close interaction with supernatural entities. When the primitive mind fails to comprehend the cause of unnatural tragedies like illness, killer epidemics, earthquakes, lightning strokes, attacks by wild animals, etc. it attributes the cause to malevolent spirits and gods* (...) *which need to be propitiated and appeased by drawing icons* » (p. 39).

2. « *Art, prompted by sources of beliefs and myths, forms a part and parcel of the Saura life in their struggle for existence* ».

offerts et enfin on sacrifie soit une chèvre soit une volaille » (*Id.*, p. 59)[1].

Le rôle de la main et de son image spécifique, l'importance vitale de l'art, la conception d'un monde où tout est signifiant et où l'image joue un rôle majeur dans les rapports avec les esprits, les cérémonies de propitiation, tout cela ne peut manquer d'évoquer la vie et les croyances des peuples du Paléolithique.

Un récent voyage en Sibérie m'en a apporté des expériences directes. À l'occasion d'une conférence sur le chamanisme dans l'art paléolithique que je donnai en 2008 à l'hôpital de La Pitié-Salpêtrière, Isabelle Célestin-Lhopiteau, psychologue-psychothérapeute à l'Unité Douleur de l'hôpital Trousseau, me montra des images tournées en Sibérie, près du lac Baïkal, où un chamane bouriate réalisait un rituel devant des gravures rupestres préhistoriques qu'il touchait délibérément. Elle décrivit ainsi l'expérience et la conception du monde qui

1. « *In stage one, the shaman identifies the spirit or the power that has caused the disease, or death or that needs to be propitiated for the welfare of the family, whose icon is to be drawn. In stage two, the icon is drawn on the house wall either by the artist (*Ittalamaran*) or the shaman (*kuranmaran*) if he knows how to draw. And in stage three the icon is consecrated by the shaman through an elaborate ritual involving invocations to all gods and spirits of the Saura world and the particular spirit in whose honour the icon is prepared, to come and occupy the house. All sorts of fruits, roots, grains, corns including wine were offered and finally either a goat or a fowl is sacrificed.* »

la sous-tendait : « Une fois sorti de sa transe, il nous a expliqué qu'il s'est ainsi remis en contact avec les ancêtres, ceux qui ont gravé ces dessins, et en même temps avec les animaux, les esprits, les éléments » (Célestin-Lhopiteau 2009, p. 28). En effet, « le chamanisme, selon les propres termes du chamane, c'est le culte de la nature. Le chamanisme est une conception de l'existence, l'homme n'est pas dans la nature mais il "est" la nature. L'esprit du chamanisme, c'est que tout dans la nature est animé, divinisé mais aussi lié, interconnecté. Les rituels chamaniques sont là pour recréer des liens avec le groupe, avec les pierres, les animaux, les autres, l'univers, les esprits » (*Id.*, p. 26). Elle m'invita plus tard à participer à un nouveau voyage, dont les péripéties seraient filmées, en compagnie d'un autre chamane traditionnel, Lazo Mongoush, qu'elle connaissait déjà, et d'un préhistorien sibérien spécialiste d'art pariétal à l'université de Krasnoiarsk, Alexandre Zaïka. Ce voyage eut lieu en juin-juillet 2010.

Dès notre arrivée, nous allons rencontrer Lazo à Kysil (République de Tuva) à soixante kilomètres à peine au nord de la Mongolie. Il nous reçoit dans une yourte traditionnelle érigée dans la cour de sa maison. C'est son cabinet de travail. Des gris-gris sont accrochés au mur et pendus au toit.

Ce même soir, nous nous rendons à une soixantaine de kilomètres de Kysil, dans un petit hameau d'éleveurs de brebis pour un rituel de purification, indispensable dès le premier jour, malgré notre fatigue et le décalage horaire, puisque le lendemain nous irons voir des sites d'art rupestre, lieux de pouvoir. Les esprits doivent auparavant nous connaître.

La cérémonie a lieu sur une petite colline conique, au sommet de laquelle un poteau ceint de tissus multicolores émerge d'un gros tas de pierres. Les hommes doivent trouver une grosse pierre et les femmes deux petites et les y déposer en arrivant. Lazo a apporté des offrandes alimentaires (fromages, viandes). Il prépare un petit bûcher de bois sec au sein desquelles il les place. D'autres offrandes du même ordre et des piécettes sont déposées au pied du poteau. Lazo revêt alors son magnifique habit de chamane, ses bottes de cérémonie et une coiffure de grandes plumes. Il allume des herbes odorantes, qui font beaucoup de fumée. Il fait le tour de l'assistance. Hommes, femmes, enfants, sont assis sur des bancs et se font face de part et d'autre du feu, pour la plupart les mains jointes. Lazo nous purifie dans la fumée. Il apporte la fumée au poteau et les participants y nouent leurs étoffes. Il renouvelle la cérémonie avec son tambour, chantant et jouant. Il passe devant et derrière chacun de nous. Quand le tambour résonne près de soi, on le sent vibrer partout dans le corps et dans la tête. Impressionnant. Certains participants touchent les franges de son habit au passage. Le feu prend et les flammes s'élèvent. Lazo joue devant le feu. Les flammes semblent s'étirer vers lui. Sur les photos nous verrons les formes étranges qu'elles prennent (fig. 11). Quand nous lui montrerons les photos, il poussera des exclamations de contentement, sans surprise : ce sont les esprits qui se manifestent et c'est le signe d'un rituel réussi. Pendant le déroulement du rituel, une femme se lève et fait des aspersions de lait de brebis vers les quatre points cardinaux. Cela se reproduit une

Fig. 11. Lazo chamanisant dans la steppe, non loin de Kysil, dans le sud de la Sibérie. Les flammes s'étirent vers lui prenant parfois des formes étranges. Cliché Konstantin Wissotskiy.

fois encore. De temps en temps, un homme va remplir de lait les coupes utilisées. À la fin, Lazo lance des poignées de blé : tous se précipitent en riant pour les ramasser, car ces grains portent bonheur. Le rituel a eu lieu tout près d'une grande pierre couverte d'une vingtaine de cupules très anciennes, certainement préhistoriques.

Les rituels se déroulent le plus souvent sur un lieu sacré. Il en existe beaucoup, nous dit Lazo, car les esprits sont très nombreux. Certains sont bienveillants, d'autres méchants et nocifs. Il faut se les concilier avec des cérémonies. Les lieux sacrés sont « chargés de pouvoir », selon ses propres termes et les sites d'art rupestre en font souvent partie. Le chamane perçoit ce pouvoir et choisit les sites pour ses cérémonies. Vers la fin de notre voyage, il fit ainsi un rituel, le jour de mon anniversaire et à mon intention, au sommet d'une superbe falaise couverte de peintures préhistoriques, entre l'Angara et un de ses affluents. La fouille de ce lieu, jusque-là inconnu de Lazo qui habite dans une autre région à plus de mille kilomètres au sud-ouest, a révélé des occupations depuis le Néolithique. Il s'y trouve aussi des cupules. Mon collègue Alexandre Zaïka, qui l'a en partie fouillé, y a mis au jour nombre de dents d'ours. L'un de nos accompagnateurs russes me dira qu'il y avait là, jadis, une église orthodoxe en bois et des tombes de prêtres. L'église fut détruite par la foudre. Lazo, quand on le lui dit, pensa bien entendu que c'était l'œuvre des esprits mécontents.

Nous devions participer à plusieurs autres rituels, dont un de guérison, pour notre cuisinier, Génya, qui souffrait depuis de longs mois de maux d'estomac très douloureux. Lazo tourna autour de lui longtemps, jouant du tambour. Génya paraissait dans un état second. Deux jours plus tard, Isabelle lui demanda, de manière très neutre, ce qu'il avait ressenti. « Au début, nous dit-il, j'ai vu des étoiles, puis ça a passé. J'étais comme hypnotisé. Comme si mon esprit était prêt à partir. Ce n'était pas le vol, mais c'était le vol, comme s'il allait partir, mais il restait près de mon corps. » Il a eu l'impression que son esprit s'envolait, mais pas loin et pas très longtemps. Puis, il a un peu entendu Lazo, de loin. Puis, il l'a entendu de nouveau. Il s'est levé, comme un zombie. « Quand ça a été fini, je me suis senti comme après la bagna… » La bagna est une sorte de sauna sibérien, très humide et très chaud en raison de l'eau que l'on jette sur des pierres brûlantes ; après quoi on plonge dans la rivière ou on se roule dans la neige. Le lendemain, Lazo lui a donné une potion avec des herbes. Génya ne souffrit plus, ce qui ne lui était jamais arrivé depuis le début de ses problèmes.

Lazo, au cours du voyage, nous livra nombre d'informations sur sa manière de concevoir le monde, qui regorge de signes et de symboles pour qui sait les voir et les déchiffrer, ainsi que sur ses interprétations de dessins particuliers.

À plusieurs reprises, il nous fit remarquer des formes naturelles de rochers qui évoquaient des figures humaines. Cette attitude d'esprit, qui lui fait voir des esprits dans les flammes et dans la nature, est celle aussi des Paléolithiques qui percevaient des animaux dans les reliefs des parois au fond des grottes et les complétaient par leurs dessins. À la fin de notre séjour, il nous en donna un autre exemple, en relation directe avec le choix d'un lieu d'art rupestre.

Ce jour-là, Alexandre Zaïka nous amena voir une « idole »[1] de l'Âge du Fer, isolée en pleine taïga, sur les bords d'un affluent de l'Angara appelé Oust-Tasséyero. En raison de son isolement et des difficultés d'accès, ce site spectaculaire ne fut découvert qu'au début des années quatre-vingt-dix. Au sommet d'une petite colline, un affleurement de gros rochers calcaires présentait en son milieu une statue verticale représentant un grand visage d'homme haut d'environ quatre-vingts centimètres. Des objets en bronze découverts au pied ont permis de l'attribuer à l'Âge du Fer, nous dit Zaïka. L'un des côtés de la statue, parfaitement plan, révélait qu'il s'agissait d'une dalle à l'origine horizontale prélevée et redressée sur les lieux. Lazo nous

1. C'est ainsi que cette statue est communément appelée dans la région de l'Angara, y compris par les spécialistes.

fit remarquer que, dans plusieurs des rochers entourant la statue, on pouvait voir des visages (fig. 12). Je les examinai de près : tous étaient naturels, sans retouches. Toutefois, l'idée me vint que nous avions peut-être là la raison première du choix de ce lieu par des gens portant le même regard que Lazo sur les roches et y voyant des faces. Hypothèse improuvable, naturellement, mais bien séduisante...

Les bois touffus de la taïga où se trouvait la statue regorgeaient de moustiques, de taons et de

Fig. 12. L'idole de l'Âge du Fer d'Oust-Tasséyero, sur les bordfs d'un affluent de l'Angara, en Sibérie. Dans les rochers qui l'entourent on peut voir des faces humaines qui ont peut-être déterminé le choix du lieu.

moucherons, en nuages épais et agressifs. Nos amis sibériens nous avaient avertis et nous étions préparés (vêtements longs, gants, voilettes protégeant la tête et le cou, répulsifs). Eux ne l'étaient pas et, généralement, ne prêtaient pas attention aux moustiques, si abondants l'été en Sibérie. Cette fois, néanmoins, ils se protégèrent, d'une manière inattendue, à l'initiative de Lazo. Il se dirigea vers une grosse fourmilière et tapa fort, deux ou trois fois, sur son sommet, la main à plat. Puis, il plaça sa main juste au-dessus, à deux ou trois centimètres, bien horizontalement, et attendit. Je me demandais ce qui se passait, puis je compris : les fourmis agressées émettaient de l'acide formique et il s'en imprégnait. Il se passa ensuite la main sur les bras, sur son autre main et sur le visage qui furent ainsi protégés. Les autres firent de même. Lazo, pour me montrer l'efficacité du procédé, tendit sa main nue autour de laquelle tourbillonnaient les insectes sans qu'aucun ne s'y pose. Nombre d'astuces de ce genre ont dû se perdre depuis la Préhistoire !

Près de l'idole, Lazo nous fit remarquer que la dalle sculptée était orientée exactement plein Est. Nous le vérifiâmes avec une boussole. Ce n'était certainement pas un hasard. Pour les chamanes actuels, les quatre points cardinaux jouent un rôle très important dans les rituels. Nous en fûmes témoins lors de ceux que nous vîmes, avec des offrandes de lait. Sur le site de Bytchikha où se trouvent des petites gravures de l'Âge du Fer, Lazo s'exclama que des croix gravées étaient chamaniques et qu'il avait les mêmes sur son tambour. Elles symbolisaient les quatre points cardinaux. Son couteau, qu'il a fabriqué lui-même avec un ressort de camion, est en forme de quartier de lune (1er quartier), période particulièrement favorable aux rituels.

Pour les chamanes, les animaux sont d'une importance toute particulière puisque nous vivons dans un monde où tout, selon eux, est interconnecté et fluide. Pour Lazo, l'ours est l'animal majeur : il ressemble aux humains et il a des rapports avec eux (il préfère les femmes) ; il est présent dans le ciel où on peut le voir dans les constellations ; son os pénien, enfin, est un symbole de puissance. Lazo, d'ailleurs, arbore en permanence un magnifique collier fait de perles et de dents d'ours. Le cerf est aussi très important et l'on n'en tuait qu'un par an. Le loup est symbole d'agression. On témoigne aussi un grand respect à l'aigle et on l'imite dans la danse.

Certaines de ses interprétations m'ont rappelé des hypothèses jadis émises pour l'art pariétal paléolithique européen. Par exemple, Lazo interpréta en termes de magie de la chasse de belles images d'élans gravées sur des falaises près de l'Iénissei sur le site de Moyisseikha : avant la saison de la chasse à l'élan, on faisait jadis une cérémonie pour en tuer deux, d'où leur représentation rupestre. À Soukhaniha, non loin de plusieurs sites de gravures, également près de l'Iénissei, au pied de deux poteaux portant quelques tissus plantés en bas de pente d'une colline, se trouvaient deux crânes, un crâne de bœuf près de celui de droite, un crâne de cheval au pied de celui de gauche. Lazo nous dit que, lorsque le crâne se trouve au pied, l'esprit humain est bas et que le placer en haut du poteau élevait l'esprit. Il se mit donc en devoir de le faire, avec solennité et recueillement, touchant les crânes et leur parlant. Puis il les attacha l'un après l'autre en haut du poteau, utilisant pour cela les chiffons colorés. Il nous dit ensuite que le crâne de cheval représentait un esprit masculin et le crâne de boviné un esprit féminin. André Leroi-Gourhan aurait beaucoup aimé cette interprétation...[1]

Lors de nos visites de sites ornés, nous avons vu un certain nombre de représentations d'humains à la tête surmontée de cornes ou de bois de cervidé, parfois tenant à la main un objet circulaire. Non seulement Lazo, mais également Alexandre Zaïka, spécialiste de cet art sibérien, et tous nos accompagnateurs acceptent comme évidente l'identification de ces figures comme des chamanes munis d'un tambour et Zaïka en déduit le caractère chamanique de l'art rupestre, depuis l'Âge du Bronze, de ces régions méridionales de la Sibérie. Comment

1. Cf. chapitre I, « Les significations supposées de l'art paléolithique ».

ne pas penser, alors, aux « Sorciers » des Trois-Frères ou de Gabillou !

L'un de ces chamanes, peint en rouge sur une falaise du bord de l'Angara (Manza II), attribué à l'Âge du Bronze par Zaïka, présentait des doubles traits obliques de part et d'autre du corps (fig. 13). En d'autres contextes, nous les qualifierions de « signes géométriques », ininterprétables. Pour Lazo, il était évident qu'ils indiquaient l'énergie.

Au cours de notre long voyage, nous devions passer une journée entière avec une autre chamane traditionnelle, Tatiana, femme d'un certain âge de Khakassie. Bien qu'elle refusât que le rituel qu'elle donna pour nous près du fleuve soit photographié ou filmé, elle accepta de nous parler longuement, lors d'une véritable interview ainsi qu'au cours de la journée, et nous donna d'innombrables détails sur les croyances et pratiques chamaniques khakasses, dont celles concernant l'art rupestre. Beaucoup confirmèrent ce que nous avions appris de Lazo, chamane tuva.[1]

L'univers, selon elle, comprend trois mondes superposés principaux. Celui du dessous comprend sept niveaux, celui du dessus neuf, chacun avec ses caractéristiques et ses dieux ou esprits. Par

1. Dans un livre récemment paru sous sa direction (Célestin-Lhopiteau 2011), Isabelle Célestin-Lhopiteau a publié la transcription complète de l'entrevue que nous donna Tatiana Vassiliyevna Kobejikova, chamane khakasse, le 20 juin 2010, p. 106-114.

exemple, dans le quatrième niveau habitent les dieux de la Terre, de l'Eau, du Vent et du Feu. Chaque personne possède ces quatre esprits en soi, en équilibre. Le rôle du chamane est, entre autres, de rétablir les équilibres entre ces quatre éléments lorsqu'ils sont rompus. Le cinquième niveau est celui des dieux des quatre directions (Nord, Sud, Est, Ouest), plus puissants encore que ceux des précédents niveaux. On retrouve là l'importance des points cardinaux.

Les principes de base, dans l'univers, sont l'harmonie et l'équilibre. Par exemple, en chacun de nous existe aussi un équilibre entre le haut et le bas. Lorsqu'il se rompt, cela se répercute dans le monde, puisque tout est lié et le chamane doit alors agir.

Il, ou dans ce cas elle, le fait par le rituel et par la transe. En fonction du rituel, elle peut être animal, oiseau ou esprit. « C'est très difficile à expliquer : la transe est comme une plongée dans l'eau », nous dit-elle. Souvent elle ne comprend pas. Quand elle descend dans le monde du dessous, elle a « peur, car il y a une très belle musique et il est très dur de revenir ». Pour aider les gens, il faut se battre avec les esprits sur le plan mental. Toutefois, les blessures sont réelles et, après le rituel, elle peut les ressentir.

Au sujet des représentations rupestres, elle nous déclara : « J'ai été initiée pour faire le rituel mais il y a un autre moyen de connaissance ici. Ici, on est dans une région où il y a beaucoup de gravures rupestres et je pense que ces peintures rupestres, c'est des lois gravées, des livres non édités des connaissances chamaniques. Pour moi ces peintures rupestres, elles parlent, c'est-à-dire elles me racontent la création du monde, quand je les touche et reste à côté d'elles. C'est le manuel du chamane. C'est la transmission de connaissances, d'informations anciennes qui existaient avant, aux chamanes d'aujourd'hui comme moi. Comment les chamanes faisaient avant moi et ce qu'il faut faire aujourd'hui. C'est comme une lettre du passé pour moi C'est pour ça que je viens. Je fais souvent des rituels sur les pétroglyphes. Mais quand je fais un rituel sur les dessins rupestres, c'est un rituel pour les ancêtres et les gens qui ont transmis ce message du savoir. Cela éveille la sagesse, ma connaissance.

Ce dessin rupestre explique quelles actions le chamane doit entreprendre et quelles actions il faut entreprendre. Il peut y avoir des dessins de tels animaux ou d'esprits anthropomorphes, ce qui montre avec quels esprits d'animaux ou quels esprits anthropomorphes il faut collaborer, pour amener l'âme de l'homme. Il y a souvent aussi l'image d'un soleil, d'une lune ou d'une demi-lune, ou d'une éclipse et cela indique à quel moment de l'année, en quelle saison, du mois, du jour faire le rituel, collaborer avec tel esprit. Ces dessins rupestres sont des sortes de calendrier. Le travail du chamane, c'est avec les gens mais aussi avec l'univers autour en général. C'est ce que montrent ces dessins rupestres. »[1]

Elle nous précisa que les animaux fantastiques sont les images des esprits. Un bateau avec des hommes représente un rituel chamanique : il y a un chamane sur ce bateau, avec les participants au rituel. C'est le voyage dans le monde du dessus, celui des esprits.

Pour elle, une pierre plate avec des cercles concentriques près de kourganes, que nous avions vue non loin du lac Chyra, est une carte des lieux avec indication des sanctuaires, les cercles concentriques représentant des lacs. Il existe aussi une liaison avec les étoiles et des conseils pour ce qu'il faut faire. C'est un « lieu de pouvoir » (termes déjà employés indépendamment par Lazo pour des sites d'art rupestre).

Les « rupestres ont beaucoup de pouvoir » et il arrive qu'elle perçoive leur présence, leur localisation. Elle-même a conduit nombre de rituels avec des pétroglyphes (gravures sur les roches), pour remercier (« action de grâce »). Une scène de chasse indique comment faire un rituel pour avoir une bonne chasse. Il existe beaucoup d'autres éléments complémentaires, comme les signes géométriques, représentations les plus importantes pour elle, chargées de symboles.

1. *Ibid.*, p. 113.

Ces expériences, multiples et riches, ont eu une influence non négligeable sur ma manière de réfléchir aux problèmes de l'art rupestre, celui des temps holocènes sur les divers continents comme celui de l'époque glaciaire en Europe.

J'aborderai à présent, à leur lumière mais aussi à celle d'études et de témoignages divers, c'est-à-dire dans une démarche plus classique, les attitudes traditionnelles vis-à-vis de la nature et du milieu environnant, qu'il s'agisse des paysages, des grottes et des roches, du monde en général ou encore des animaux. L'art des peuples de la nature, plus proches de nous que ceux des temps glaciaires, a eu des rôles et des applications multiples, qui seront évoquées, de même que les problèmes qui surgissent inévitablement. Nous verrons alors comment ces observations peuvent aider à une meilleure compréhension de l'art des cavernes, des abris et des roches du Paléolithique européen, et dans quel cadre conceptuel on peut le situer.

Chapitre III

PERCEPTIONS DU MONDE, FONCTIONS ET AUTEURS DE L'ART

Après ces témoignages concrets de la perception du monde par diverses cultures traditionnelles et avant d'aborder ce que nous en savons, ou croyons en savoir, et de considérer dans quelle mesure cette connaissance peut nous aider à comprendre les modes de pensée paléolithiques et l'art qui en résulte, il convient de rappeler quelques faits qui doivent nous inciter à la prudence. Évaluer la pertinence de nos informations est indispensable pour bâtir sur un socle solide.

Lorsque l'on se réfère à des explications ethnologiques, dans quelque domaine que ce soit, deux cas principaux existent. Nous, archéologues d'un lointain passé, ne disposons pas du moindre témoignage sur la signification d'un fait, qu'il s'agisse de vie courante, de croyances ou de pratiques rituelles ou cultuelles. Dans ce cas, que les auteurs anglo-saxons appellent *uninformed* ou *etic*, nous nous fondons sur l'unité intrinsèque de l'humanité qui implique l'existence d'universaux, ou tout au moins de constantes largement répandues dans des cultures plus ou moins comparables à celles examinées. Ce sont ces universaux et ces constantes qui permettent des comparaisons ou des analogies avec des comportements et des modes de pensée ethnologiquement connus. C'est la démarche ici adoptée (cf. chapitre I). Il va de soi qu'elle n'est pas sans risques.

Lorsque les témoignages existent, second cas considéré, ils peuvent être principalement de deux sortes. Ils sont directs lorsqu'un (ou des) informateur(s) partage(nt) leurs connaissances. Nous sommes alors dans un cadre *informed* ou *emic*. Les témoignages indirects sont ceux de voyageurs revenus de pays lointains, ethnologues ou missionnaires ayant vécu au sein de peuples disparus dont ils ont décrit les mœurs à leur manière et selon leur propre optique.

Même pour des cultures *emic*, les problèmes et causes d'incertitude abondent. Un problème pérenne est celui de l'évolution des interprétations dans le temps, même pour des images identiques (Lorblanchet 1992)[1]. Lorsque les cultures changent, leurs croyances en font de même. Par exemple, nous sommes loin d'être certains que les histoires actuelles des Aborigènes du Kimberley au sujet des élégan-

1. « *The persistence of the images through millenia did not imply the permanence of meaning* » (p. 133), à propos de l'art australien, mais aussi paléolithique.

Fig. 2 : Sur cette roche de Miller Island (État de Washington, États-Unis), on voit de nombreuses taches rouges naturelles sur lesquelles a été réalisée une figure rouge, destinée à contrer leur pouvoir maléfique.

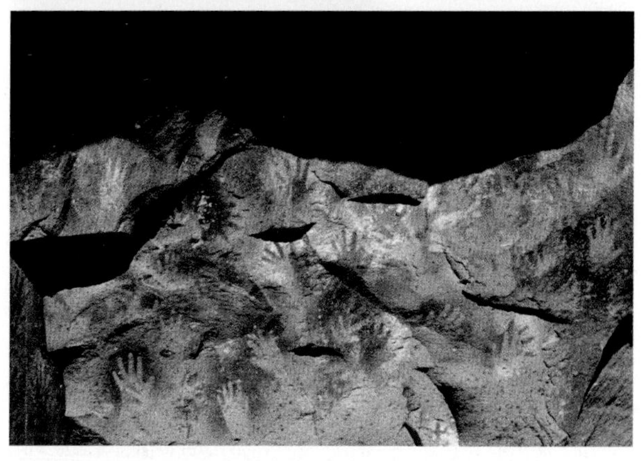

Fig. 5 : Peintures au pochoir de la Cueva de las Manos, en Patagonie (Argentine).

Fig. 6 : Quinkan mâle sur le site de Yam Dreaming, dans la péninsule du Cap York, au nord-est de l'Australie. Son énorme pénis lui permet de faire d'énormes bonds lorsqu'il se déplace dans le bush.

Fig. 7 : Parmi ces peintures de Anbanbgang Shelter, à Nourlangie Rock (Kakadu National Park, Australie), réalisées en 1964 par Nayombolmi, on distingue à gauche Namargon, the Lightning Man. La bande autour de son corps représente les éclairs, tandis que les haches en saillie sur sa tête, comme celles attachées aux coudes et aux genoux, étaient utilisées pendant le Wet (saison des pluies) pour frapper les nuages et en faire jaillir les éclairs. À sa gauche est sa femme Barginj (Chaloupka 1992).

Fig. 8 : La femme de gauche, dotée de quatre bras et de bois de cervidé, est Algaigho, associée de Namargon, peinte dans l'abri de Nanguluwur (Kakadu National Park, Australie).

Fig. 9 : Wandjinas dans un abri près de King Edward River Crossing, dans le Kimberley (Australie). Les Wandjinas sont liés à la saison des pluies.

Fig. 10 : Baiame, représenté dans l'abri qui porte son nom, près de Milbrodale, dans le sud-est de l'Australie, est un dieu créateur qui a de grands yeux car il voyait tout, sept femmes représentées par des traits blancs sur sa poitrine et d'immenses bras ouverts car il rassemble les gens. Largeur : 5,40 m.

Fig. 13 : Représentation de chamane, attribuée à l'Âge du Bronze, à Manza II, sur les bords de l'Angara (Sibérie). Lazo nous dit que les doubles traits obliques sur les côtés indiquaient l'énergie. Cette peinture a été en partie vandalisée et ses contours maladroitement repassés au crayon depuis peu (son bras droit était à demi levé, comme l'est son bras gauche, mais le dessin moderne l'a représenté différemment et en fausse la perception).

Fig. 14: À Jatashankar (Madhya Pradesh, Inde), les stalagmites à l'entrée d'une petite grotte font toujours l'objet de dévotion et d'offrandes de fleurs et de feuilles. Elles sont parfois peintes en rouge, la couleur sacrée du dieu Shiva.

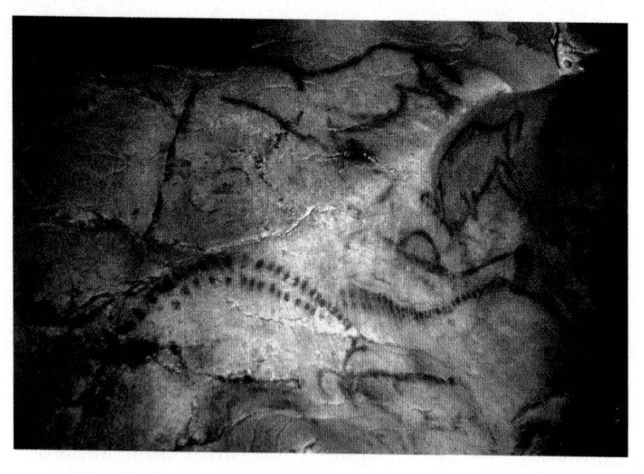

Fig. 15: Une seule personne peut se glisser dans le Camarin de la grotte du Portel (Loubens, Ariège), petit réduit couvert de peintures sur les parois et la voûte.

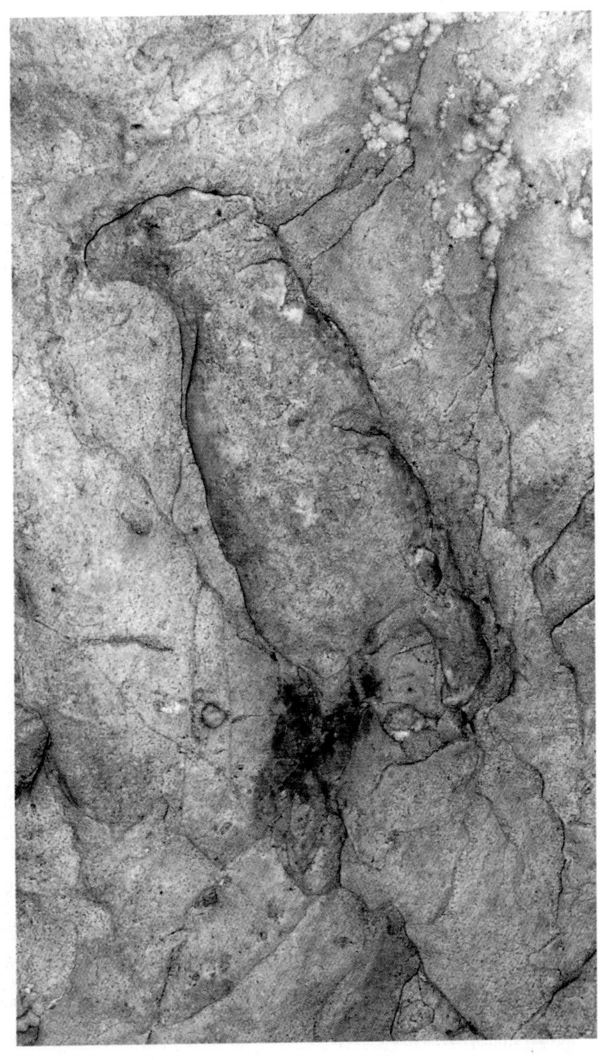

Fig. 19 : Grotte de La Pasiega (Puente Viesgo, Cantabrie, Espagne). Une forme naturelle évoquant un oiseau a été complétée, à la peinture rouge, pour l'œil et les pattes.

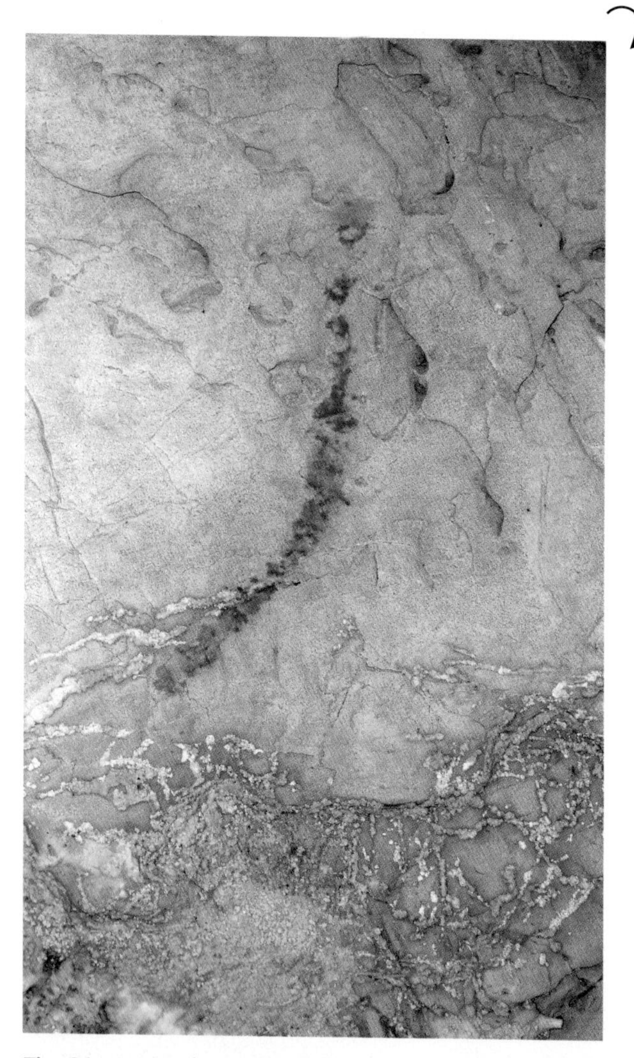

Fig. 20 : Grotte de La Pasiega (Puente Viesgo, Cantabrie, Espagne). Tout près de l'oiseau de la fig. 19, une ligne incurvée de points rouges complète une forme naturelle où l'on distingue la tête (à gauche) et le poitrail d'un animal.

Fig. 21 : Grotte de La Pasiega (Puente Viesgo, Cantabrie, Espagne). Un grand cerf mégacéros, aux bois exubérants, a été peint à partir de fissures naturelles utilisées pour représenter la tête et la bosse du dos.

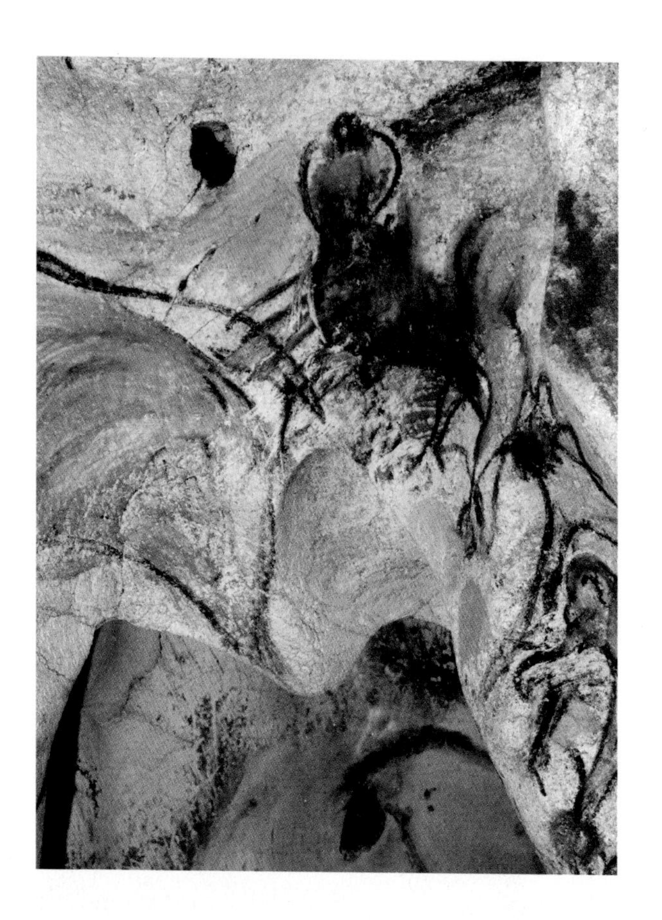

Fig. 22 : Dans la Salle du Fond de la grotte Chauvet (Vallon-Pont-d'Arc, Ardèche), un avant-train de bison (en haut) a été délibérément représenté comme s'il émergeait d'un repli de la roche.

Fig. 23 : Grotte Cosquer (Marseille, Bouches-du-Rhône). Deux mains (celle en haut à gauche est à peine visible) aux doigts incomplets, sans doute repliés. La main du bas a été « détruite » par des traits obliques.

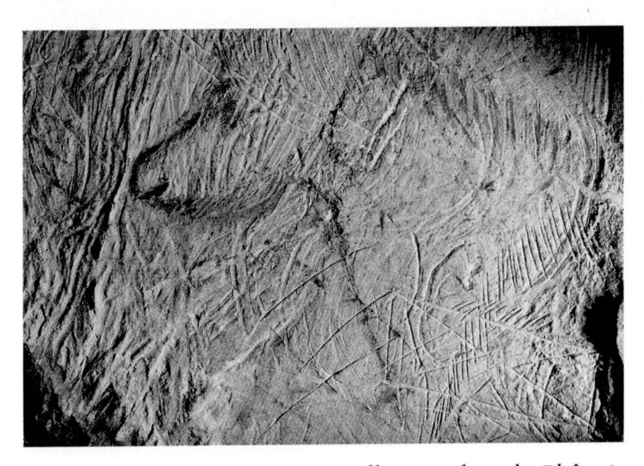

Fig. 24 : Grotte Cosquer (Marseille, Bouches-du-Rhône). Exemple de tracés digitaux qui couvrent une paroi. Des gravures (rectangle en bas à droite) et un avant-train de cheval noir leur furent superposés.

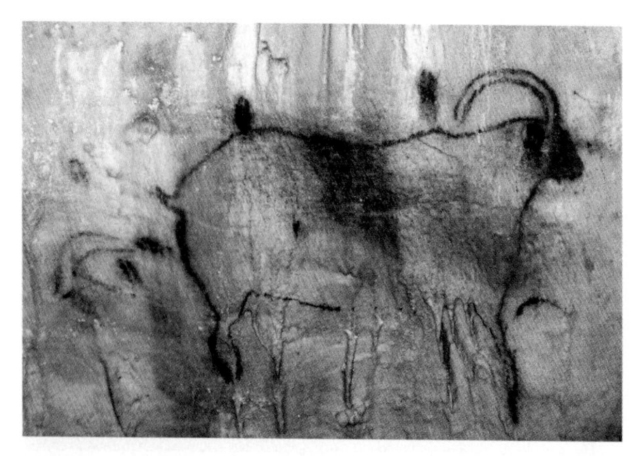

Fig. 25 : Des marques noires de doigts géminés ont été apposées sur et autour de ce grand bouquetin rouge de la grotte Cougnac (Payrignac, Lot).

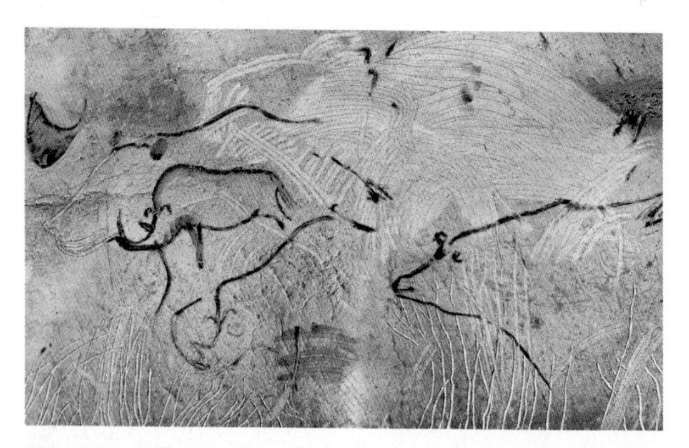

Fig. 26 : Salle du Fond de la grotte Chauvet (Vallon-Pont-d'Arc, Ardèche). Des traces d'attouchements, plus ou moins anarchiques, ont accompagné la réalisation des figures noires. Sur le bas, les gravures blanches verticales sont des griffures dues aux ours des cavernes, antérieurement aux dessins. Relevé Marc Azéma et Jean Clottes.

Fig. 27: Au fond de la grotte d'Enlène (Montesquieu-Avantès, Ariège), de petits fragments d'os d'animaux ont été plantés dans de nombreuses fissures au Magdalénien.

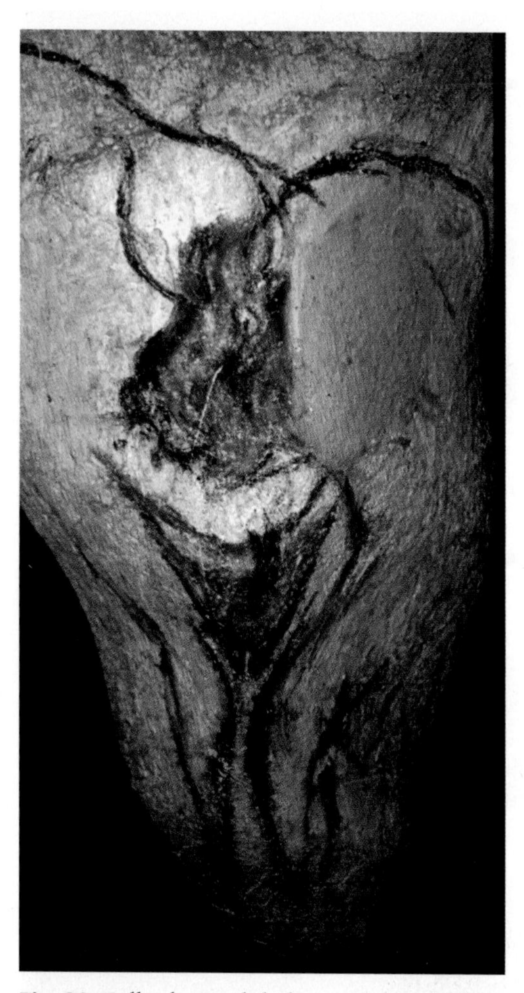

Fig. 28 : Salle du Fond de la grotte Chauvet (Vallon-Pont-d'Arc, Ardèche). Sur un pendant rocheux, en face du grand Panneau des Lions, fut dessiné le bas du corps d'une femme (jambes vues de face, triangle pubien et vulve). Un bison avec ce qui paraît être un bras terminé par une main lui est partiellement superposé.

tes peintures rupestres que l'on appela des Bradshaw, du nom de leur découvreur occidental, et qu'ils nomment Guion Guion (Ngarjno *et al.* 2000), dont la datation n'est pas assurée mais remonte à nombre de millénaires, sont la perpétuation des croyances ancestrales qui présidèrent à leur création et à leur usage premier et non pas des créations notablement plus récentes. De notre point de vue, cela ne serait d'ailleurs pas rédhibitoire, car ce qui compte ce sont les conceptions du monde exprimées, dans le cadre d'une longue tradition, à propos de cet art, et non pas nécessairement les significations originelles dans tous leurs détails.

Ces détails, disons le tout net, resteront quasiment toujours hors de notre portée. Robert Bednarik, qui toute sa vie a fréquenté certains Aborigènes australiens, a bien expliqué les mécanismes qui rendent illusoires les tentatives d'accès à une connaissance complète. Le premier obstacle est celui de la langue. Soit l'on dépend d'un interprète et de sa maîtrise ou de ses interprétations propres (*traduttore tradittore*...), soit l'on apprend la langue du groupe étudié, mais sans jamais espérer en acquérir toutes les nuances et les subtilités.

Le second problème majeur est la spécificité des savoirs et des explications. En la matière, rien n'est simple et rien n'est univoque. En outre, la connaissance ne constitue un droit ni pour tous les membres de la culture considérée ni *a fortiori* pour un interlocuteur extérieur à cette culture. Ce sont là deux obstacles essentiels. En tant qu'Occidentaux, et à plus forte raison en tant que chercheurs, nous avons tendance à vouloir tout connaître de la manière la plus approfondie, la plus exhaustive et la plus sûre possible. C'est le but même de la Science. Or une telle conception est étrangère aux modes de pensée traditionnels où la connaissance est contingente. Certains savoirs, certaines images, nous l'avons vu avec l'Australie, sont réservés aux femmes et d'autres aux hommes et la peine encourue pour une transgression peut être terrible. Les savoirs varieront donc en fonction du sexe et/ou des degrés d'initiation des uns et des autres. Bednarik, à un quart de siècle de distance, reçut deux interprétations très différentes d'un fait identique, la seconde beaucoup plus complexe que la première. Lorsqu'il s'en étonna, il lui fut répondu : « Mais, il y a vingt-cinq ans, tu ne savais pas grand-chose » (Bednarik 2003c). Selon sa métaphore, les explications peuvent donc s'emboîter comme des poupées russes, sans être certains d'arriver jamais à la toute dernière. Un sens accessible à tous peut en effet cacher des niveaux plus profonds de signification auxquels seuls des initiés peuvent accéder (May et Domingo Sanz 2010, p. 40).

Enfin, rappelons (cf. chapitre I) l'inanité de tenter des explications précises d'un art étranger dans le seul cadre de nos préjugés et de nos conceptions occidentales. L'un des exemples les plus frappants (et des plus amusants...) à cet égard est celui de

Murru Murru. Mon vieil ami Antonio Beltrán, à l'occasion du Congrès de Darwin en 1988, fit une expédition dans le bush australien avec un peintre aborigène appelé Murru Murru, qui lui avait montré quelques sites et lui avait donné des explications. Ils revinrent peu après sur les mêmes lieux avec un groupe de congressistes. Parmi eux, une collègue américaine féministe s'arrêta devant deux mains négatives peintes sur la paroi d'un abri. L'une, plus grande et de facture plus grossière, était située au-dessus de l'autre. Elle se mit à les interpréter : « Il est évident que la main du haut, masculine, placée comme elle l'est au-dessus d'une main féminine, symbolise la domination de l'homme sur la femme et une attitude machiste ! ». Beltrán lui dit gentiment que peut-être vaudrait-il mieux interroger l'Aborigène, car lui savait. On fit venir Murru Murru et on lui posa des questions sur ces mains. Il se mit en colère, croyant à une critique : « Oui, je sais ! Celle du haut est ratée. J'avais placé ma main trop haut. Si vous croyez que c'est facile ! Mais l'autre, que j'ai faite après, au-dessous et mieux à portée, est bien !... ».

Quand on lui demanda pourquoi il avait réalisé ces mains négatives, il répondit, haussant les épaules, qu'il était resté plusieurs jours dans ces parages, pendant la saison des pluies, et comme il s'ennuyait, il avait fait les mains. Si cela est vrai, et c'est bien possible, elles n'auraient pas plus de valeur que de simples graffiti, mais a-t-il dit la vérité à des étrangers de passage ? Dans d'autres régions de l'Australie, en revanche, la main négative peut être un symbole de statut : dans le sud-est (Blue Mountains), on me dit en 2006 que plus le bras matérialisé est long plus la personne qui l'a fait est importante (Shield Cave). On voit la difficulté quand il s'agit de les interpréter sans information précise.

Ce que l'on a appelé « l'expérience de Macintosh » est moins caricatural. Ce chercheur australien, en 1952, étudia un abri orné du sud-ouest de la Terre d'Arnhem et en releva les quatre-vingt-une peintures. Ce faisant, il travailla d'une manière que nous qualifierions tous d'« objective », décrivant les sujets représentés avec précision. Or un Aborigène qui avait vécu dans la région et connaissait le sens (ou plutôt « les » sens) de ces dessins consentit à en parler plus tard à un de ses éminents collègues, le Pr. Elkin. Ce fut tout différent. Macintosh, au seul niveau des identifications, qui paraissait pourtant le mieux assuré, s'était plus ou moins trompé dans 90 % des cas ! Deux décennies plus tard, il revint sur ses interprétations et les rectifia. Par exemple, un dessin diagnostiqué comme étant une femme était en fait celui « non seulement d'un *gen-gen* ou lézard d'eau, mais un *gen-gen* dont la demeure spirituelle se trouvait dans les eaux du Mataranka » et qui était une figure totémique (Macintosh 1977, p. 192). Il en conclut, entre autres, qu'il fallait « des connaissances particulières pour opérer des différenciations entre les sexes, entre les gens ordinaires et ceux impliqués dans un rituel, entre les esprits humains désincarnés et ceux qui n'ont jamais été humains » (*Id.*, p. 197).

Ces quelques exemples doivent nous inciter à la plus grande prudence, mais sans aller jusqu'au renoncement. Entre ambitionner de tout comprendre et adopter un pessimisme nihiliste, la marge est large. Il existe des niveaux de signification accessibles et surtout des CADRES CONCEPTUELS dans lesquels ils se développent. Les précisions mentionnées en un second temps par Macintosh resteront toujours hors de notre portée, ce sont ces cadres de base qu'il convient modestement d'examiner et de rechercher.

ATTITUDES VIS-À-VIS DE LA NATURE

Pour nous, Occidentaux modernes, les choses sont claires. Nous vivons *hic et nunc*, ici et maintenant. Notre monde est concret, matériel et *a priori* compréhensible. Nous en connaissons les limites — fussent-elles galactiques… — et les propriétés principales. Avec les instruments adéquats de la science, nous pouvons l'étudier et le quantifier, en définir les principes et les règles, l'utiliser rationnellement, voire le modifier et le dominer. C'est

NOTRE monde. Ses limites sont aussi constantes et fermes dans le Temps que dans l'Espace. Le passé, proche ou lointain, est figé à tout jamais, même si les recherches des spécialistes sont susceptibles d'en révéler constamment des détails et des aspects méconnus.

Il en va très différemment de nombreux peuples traditionnels. Pour les Aborigènes australiens, le Temps du Rêve (le *Dreaming*) est un concept essentiel (Berndt et Berndt 1992). Il ne se réfère pas uniquement à des événements mythiques passés, tels, en d'autres contextes, que le Paradis Terrestre ou la Chute, encore qu'il soit plein d'esprits créateurs à qui l'on doit le monde tel qu'on le connaît, les rivières, les animaux et les hommes. Ces esprits ont donné les lois qui régissent l'univers et les actions des êtres entre eux. Ils ont dessiné sur les parois des abris et s'y sont souvent même incorporés, leur image et leur essence conservant leur force initiale et leurs spécificités. Ces esprits sont en effet immanents et nous sommes toujours dans le Temps du Rêve. Passé, présent et avenir sont alors inextricablement mêlés et ne font qu'un. Dans le nord du Kimberley australien, les Wandjinas déjà mentionnés (fig. 9), qui ont créé la terre, la mer et les êtres humains, contrôlent les nuages, la foudre et la pluie, et par conséquent la fertilité de la nature et de toute vie, des animaux et des hommes. Ils se sont peints sur les parois, mais ils restent vulnérables et il faut les raviver de temps en temps pour que persiste leur pouvoir. Celui qui les repeint le fait (ou le faisait...) dans le cadre du *Dreaming*, dont il est le simple instrument.

Cette complexité et ce manque de frontières infranchissables se retrouvent dans quatre concepts majeurs que l'on ne saurait sans artifice séparer les uns des autres, car ils procèdent d'une même conception du monde.

Le premier est L'INTERCONNEXION des espèces. Par exemple, en Asie Centrale, on a relevé la forte relation symbolique entre le Cheval, le Taureau et le Cerf : des chevaux ont été enterrés avec adjonction de cornes de bovinés ou d'andouillers, dans la culture Pazyryk (sako-scythe) de l'Altaï (Rozwadowski 2004, p. 59). Il en va de même chez les Amérindiens : « Les croyances des Nord-Amérindiens sont à tel point empreintes de cette consanguinité animale que les métamorphoses ou transformations d'une forme animale en une autre sont des phénomènes tout à fait normaux » (François et Lennartz 2007, p. 86).

Cette interconnexion vaut également pour les hommes et leurs relations avec les animaux. Dans de nombreuses cosmologies nord-américaines, par exemple, les humains ont été créés par des esprits possédant des qualités humaines, mais qui se sont ensuite transformés en animaux. Il en résulta une profonde affinité entre humains et animaux, ce pourquoi les Indiens nord-américains imitaient les animaux dans certaines circonstances (Garfinkel *et al.* 2009, p. 190).

Le second concept, lié au précédent, est celui de la FLUIDITÉ du monde vivant. Les animaux, dotés de qualités et de pouvoirs extraordinaires, voire divinisés, sont conçus à notre image et interprétés en fonction de tels ou tels aspects de la culture qui les considère. Ainsi, au cours d'un voyage effectué dans le sud-est de l'Amérique du Nord (Tennessee, Kentucky), alors que je m'étonnais de voir une gravure de dindon dans une grotte profonde, hors de la lumière du jour, l'un de mes collègues me dit qu'il y a près d'un millénaire, dans ce que l'on appelle la culture du Mississippi, le dindon passait pour un valeureux guerrier parce qu'il portait sur lui le scalp, matérialisé par le jabot, de son ennemi tué ; esprit puissant et protecteur, il aurait donc été gravé au fond de certaines de ces grottes profondes, que l'on appela du terme générique de *mud-glyph caves*, car les dessins sont souvent faits au doigt sur les parois molles ou dans la boue.[1] Une telle identification, si elle était avérée, résulterait de la conception du monde d'une culture guerrière pratiquant le scalp des ennemis et assimilant des attributs animaux à une réalité humaine spécifique.

1. La première ainsi appelée fut Mud-Glyph Cave dans le Tennessee, puis le terme fut étendu à d'autres. Au sujet des *mud-glyph caves*, cf. Faulkner 1988, 1997.

Si nous sommes aussi proches des animaux, il va de soi que, moyennant certains rites ou certaines circonstances particulières, des humains pourront se transformer en animaux, entièrement ou en partie, et inversement. Les témoignages de telles croyances abondent dans toutes les cultures et dans toutes les religions : le serpent/Satan (doté en outre, sous un autre avatar, d'une queue animale et de cornes, ou transformé en bouc) ; nombre de dieux, déesses et autres personnages[1] des panthéons ou des mythologies égyptiens (cf. Sekhmet à tête de lion, Horus le Faucon), hindous (le populaire Ganesha à tête d'éléphant), grecs (les centaures, les sirènes) et tant d'autres. Il n'y a pas si longtemps, on croyait aux loups-garous dans nos campagnes et les croyances aux transformations en prédateurs existent encore dans certaines régions d'Afrique (cf. chapitre II). Cette ambivalence entre l'homme et l'animal s'est même manifestée dans le passé de notre culture occidentale par le jugement, la condamnation et le châtiment, à l'égal d'humains, de pauvres bêtes accusées par l'Inquisition de tels ou tels méfaits.

Une autre attitude d'esprit commune aux cultures traditionnelles est l'acceptation sans réserve de la COMPLEXITÉ du monde, qu'il s'agisse d'ani-

1. Appelés thérianthropes ou créatures composites par les spécialistes, c'est-à-dire possédant à la fois des caractéristiques humaines et animales.

maux ou de phénomènes naturels. Cette acceptation se manifeste dans la langue. De nos jours, nous avons tendance à synthétiser la réalité. Nous emploierons un mot très général pour nous référer à un phénomène, par exemple la neige, puis nous le préciserons en tant que de besoin au moyen d'adjectifs ou d'incidentes : la neige légère et froide, la neige dure, la neige molle, la neige qui tombe dru, etc. Les Saami du nord de la Norvège et de Laponie, en revanche, emploient à chaque fois un mot nouveau. Ils possèdent ainsi des centaines de termes pour désigner la neige. Il en va de même pour les animaux, dont le plus important, pour les Saami, est le renne, avec lequel ils vivent en symbiose. Or ils n'ont pas, comme nous, un mot unique pour désigner cet animal, mais plus de six cents termes différents (Nielsen et Nesheim 1956, p. 80-105), selon l'âge, le sexe, la couleur (85 mots), la robe (34), les andouillers (102) et bien d'autres attributs.

Dans cette pensée, les concepts diffèrent des nôtres. Pour exprimer une action, un âge ou le sexe, nous devons en effet rajouter un adjectif ou un verbe, dissociant ainsi l'essence de l'animal (« le renne ») de son existence, de ce qu'il est ou de ce qu'il fait dans l'instant. Alors que pour les Saami tous ces éléments sont indissolublement liés et l'absence ou le changement de l'un d'eux crée une réalité autre. Des traces de ces modes de pensée anciens existent encore dans les langues occidentales modernes, avec des vocables très différents selon le sexe (cerf-biche, cheval-jument, taureau-vache, poule-coq) ou l'âge (génisse, poulain, faon, daguet, agneau, veau) de certains animaux, les plus importants ou les plus familiers.

Si l'on se place dans la même optique, le bison mâle agressif, le jeune jouant, l'adulte mort et tous les autres constituaient sans doute les termes premiers du discours paléolithique et non pas une image générique du bison à laquelle se surajouteraient quelques détails secondaires, contrairement à ce que pensait André Leroi-Gourhan (cf. chapitre I). Les contemporains qui partageaient la même expérience du monde vivant devaient caractériser les représentations sur-le-champ, comme le font de nos jours, sans même y penser, les éthologistes expérimentés ou des individus qui vivent ou ont longtemps vécu au contact direct de la faune. Par exemple, dans les années quatre-vingt-dix, deux Inuits et un Indien Cri, personnes âgées et de grande expérience, visitèrent sous la conduite de préhistoriens quelques grottes paléolithiques des Pyrénées et du Quercy. Bien qu'ils aient eu affaire, dans certains cas, à des images d'animaux absents du Grand Nord canadien, comme le bouquetin, ils affirmèrent toujours des distinctions fondées sur l'âge, le sexe et le comportement et ils perçurent ces animaux comme « vrais », à cause du naturalisme des figurations mais pour une large part aussi parce qu'il ne leur était pas psychologiquement possible de faire autrement. Dans ce cas, l'attitude d'esprit du chasseur moderne rejoint celle de l'artiste magdalénien ou solutréen (Clottes, Garner, Maury 1994).

Enfin, dans cet univers fluide et complexe, où tout est interconnecté, la PERMÉABILITÉ est de règle. C'est là un quatrième concept fondamental. Cette perméabilité fonctionne dans les deux sens, dans tous les sens pourrait-on dire. Le monde n'est plus alors fermé et rigide, soumis à la seule succession de causes et d'effets d'origine matérielle, étudiables et prévisibles. Esprits et forces surnaturelles entrent en jeu et se manifestent constamment, causant maladies et catastrophes lorsqu'ils ont été offensés, apportant leurs bienfaits (santé, abondance du gibier, amour, réalisation de souhaits ou de projets), ou assurant un équilibre indispensable (succession des jours et des saisons, venue de la pluie), lorsque les rites appropriés ont été mis en œuvre. Rien n'est acquis, tout est en devenir selon leur bon vouloir. Loin de se cantonner dans un Olympe lointain et inaccessible, leur présence est partout immanente, ils imprègnent et régissent tout. Ils se manifestent physiquement à l'occasion, beaucoup plus fréquemment que dans les « grandes » religions où les apparitions existent mais restent exceptionnelles, « miraculeuses ». En outre, certaines personnes peuvent délibérément entrer en contact direct avec eux, que ce soit physiquement ou par l'esprit. Les histoires abondent de personnages qui ont pénétré dans un monde de l'au-delà, généralement situé dans la roche ou en eau profonde, et qui, après avoir franchi des obstacles redoutables, ont eu accès au Maître des Animaux ou à d'autres puissances surnaturelles pour leur demander leur aide, avant de ressortir et de retourner au monde du quotidien.

Ces concepts, si fondamentaux soient-ils, ne sauraient ni définir un type idéal de culture traditionnelle ni s'appliquer à toutes de manière indiscriminée. La complexité inhérente à chaque culture rendrait toute tentative de ce genre naïve et illusoire. Il s'agit, redisons-le car cela est fondamental, de cadres de pensée que l'on retrouve un peu partout, très différents des nôtres, avec des variations de tels ou tels éléments selon les cultures. Ils vont nous permettre de mieux approcher et d'essayer de comprendre les gens du Paléolithique, à partir des indices qu'ils nous ont laissés, concernant leur attitude vis-à-vis des lieux en général et des cavernes en particulier, puis, à l'intérieur de ces dernières, vis-à-vis des parois. Nous aborderons ensuite leurs rapports avec les animaux, les utilisations diverses de l'art et ce que nous pouvons entrevoir de leurs mythes, et, finalement, la question des auteurs des dessins.

ATTITUDES VIS-À-VIS DES LIEUX

En Europe, on parle communément de « L'Art des Cavernes » pour désigner l'art paléolithique (*L'Art des Cavernes* 1984 ; Clottes 2008). C'est à la fois vrai et faux. C'est faux dans la mesure où la très grande majorité de cet art fut certainement réalisée à la lumière du jour, soit dans des abris, soit sur des rochers à l'extérieur. Dans l'état actuel de nos connaissances, la moitié environ — on serait tenté de dire seulement — de l'art paléolithique connu se trouve dans l'obscurité totale des cavernes profondes. Les autres sites ornés sont pour la plupart des abris sous roches (Clottes 1997), des rochers ou des pieds de falaise. Ces derniers n'ont été découverts qu'en Espagne (Siega Verde, Piedras Blancas) et surtout au Portugal (Foz Côa et ses milliers de gravures, Mazouco), à l'exception de la roche gravée de Campome, dans les Pyrénées-Orientales. On constate qu'il ne s'agit que de gravures et que celles-ci sont uniquement localisées dans la partie la plus méridionale de l'Europe. Deux déductions évidentes en découlent : les *peintures* ne se sont pas conservées à l'extérieur et généralement assez mal dans les abris ; les *gravures* de plein air n'ont pu résister aux éléments qu'exceptionnellement, sous les climats les moins rudes et lorsque leur exposition le permettait. Nous ne disposons donc que d'une partie certainement infime et biaisée de l'art pariétal paléolithique.

Aller peindre ou graver loin sous terre dans le noir absolu n'allait pas de soi. Les Paléolithiques européens l'ont fait pendant près de vingt-cinq mille ans. Un tel choix des ténèbres et une tradition aussi prolongée sont exceptionnels dans l'histoire de l'humanité. Ailleurs dans le monde, on connaît des dessins en dehors de la lumière du jour dans les Amériques (*mud-glyph caves* du sud-est des États-Unis, Cueva Oscura de la Sierra de San Francisco en Baja California mexicaine, grottes mayas (Stone 1997) et autres grottes ornées en Amérique centrale ou dans les Caraïbes), de même qu'en Océanie (plusieurs dizaines en Australie, longs tubes de lave à Hawaï). Ces utilisations des profondeurs n'ont toutefois pas duré très longtemps et les exemples ne sont pas aussi nombreux qu'on aurait pu le croire, même si nous en connaissons quelques autres en Asie ou en Amérique du Sud. Par exemple, aucune caverne profonde ornée n'a, à ma connaissance, été signalée en Afrique. Il arrive parfois (Shaman's Cave en Namibie, grottes du Peruaçu dans le Minas Gerais au Brésil, ou sites du Madhya Pradesh en Inde), que l'abri où s'ouvre la grotte, voire son entrée, ait été décoré, alors que, dès que l'on pénètre dans l'obscurité, peintures ou gravures disparaissent. Il s'agit bien, dans ce cas, d'un refus d'utiliser le noir, voire la pénombre, pour y réaliser des dessins.[1] Cela renvoie à la conception que l'on pouvait avoir dans les diverses cultures du paysage en général et du monde souterrain en particulier.

Le choix des lieux ne relevait pas toujours, en effet, du hasard ou de la nécessité. Dans de nombreuses régions, les roches et leurs possibilités abondaient. Des choix apparaissent alors. Très souvent, à toutes les époques, l'art en extérieur suit des bords de rivières, des canyons ou des vallées privilégiées. C'est le cas de Foz Côa au Portugal ou de Siega Verde en Espagne pour le Paléolithique. Pour l'art post-glaciaire, les exemples sont évidemment beaucoup plus nombreux. Citons, entre autre, les grandes vallées de l'Ouest américain (Utah, New Mexico, Arizona, Wyoming, Idaho, Oregon, etc.), les canyons de la Sierra de San Francisco au Mexique, Cueva de las Manos et autres grottes ornées du Rio Pinturas en Argentine, les abris du Rio Peruaçu au Brésil (Minas Gerais) ou de la Pecos River entre le Mexique et le Texas, l'art des bords de l'Iénissei ou de l'Angara en Sibérie méridionale, de la Chambal Valley ou de Chaturbhujnath Nala en Inde (Madhya Pradesh), de la vallée de Fergana qui traverse plusieurs pays d'Asie centrale. Il en est bien d'autres.

Également fréquents, qu'il s'agisse ou non de

1. Au Brésil, « toutes les Traditions évitèrent les endroits traditionnellement obscurs » (Prous 1994, p. 138).

vallées, sont les paysages spectaculaires retenus pour la réalisation de l'art rupestre : canyons profonds et tourmentés (Baja California, Arizona), falaises immenses (Hua Shan en Chine), abritant parfois des grottes ou des abris difficiles d'accès (jungles du Kalimantan à Bornéo, Indonésie ou de Pachmarhi en Inde), anciens cratères de volcans (Arakao au Niger), roches colorées (Utah, Mont Bego près de Nice), contrastes de paysages comme les fjords et les bords de mer scandinaves (Alta et Ausevik en Norvège) ou encore les paysages glaciaires en haute altitude du Mont Bego, accessibles uniquement en été, lorsque éclatent d'impressionnants orages. Le contexte environnemental ajoute alors aux œuvres une dimension que l'on pressent ou que l'on sait essentielle dans les modes de pensée de leurs auteurs et de leurs cultures.

Un phénomène répandu dans le monde entier est celui que nous pourrions appeler « les montagnes sacrées » de l'art rupestre. Il s'agit soit de massifs isolés surgissant de manière spectaculaire du désert qui les entoure (Uluru en Australie, le Brandberg en Namibie, les falaises du Drakensberg en Afrique du Sud), soit de collines ou de monts, parfois à la forme particulière, où l'on constate la concentration de nombreux sites ornés, comme dans les Matopo Hills au Zimbabwe ou les Tsodilo Hills au Botswana.

Pendant le Paléolithique, ce phénomène a joué pour le choix des cavités décorées. L'exemple le plus frappant, sans doute, est celui du Monte Castillo, dans la Province de Cantabrie, en Espagne, dont la forme évoque le haut du corps d'un mammouth : quatre grottes majeures y ont été peintes. Ce lieu fut assidûment fréquenté pendant la majeure partie du Paléolithique moyen et supérieur, comme en témoigne la succession des occupations à l'entrée de la grotte du Castillo, de l'Acheuléen au Magdalénien inclusivement. Niaux et le Réseau Clastres sont également des grottes voisines dans le Massif de la Calbière (Ariège). Des confluents de rivières ont également attiré des concentrations de grottes ornées, comme le Bassin de Tarascon-sur-Ariège, avec six cavernes proches les unes des autres : Niaux et le Réseau Clastres dans la vallée du Vicdessos, Les Églises et Fontanet dans celle de l'Ariège, outre Bédeilhac et Pladière à quelques kilomètres au nord-ouest.

Une dimension essentielle, que — *mutatis mutandis* — l'on retrouvera aussi dans les grottes, est la localisation sélective des peintures ou des gravures dans le paysage et ce que l'on peut en déduire. Ainsi, certains lieux demandent des efforts considérables pour s'en approcher, en raison des difficultés du terrain (Kalimantan à Bornéo) ou de leur éloignement des habitats (certains abris du Kimberley ou de l'Arnhem Land en Australie). D'autres, en revanche, se trouvent en bordure de voies de passages (*koris* [vallées sèches] de l'Aïr, au Niger) et les œuvres furent gravées à la vue de tous, seulement sur une bande étroite de quelques mètres ou dizaines de mètres. Ce choix est d'autant plus évident lorsque des milliers de roches non ornées couvrent les flancs d'une colline et que l'art est cantonné tout en bas (Arakao, Anakom et Tanakom, au Niger, Foum Chenna, près de Zagora, au Maroc). Ces choix témoignent de logiques opposées. Parfois, l'art est évident, visible par les passants, alors qu'ailleurs il est caché, retiré et sa contemplation exige de le rechercher tout spécialement au prix d'efforts plus ou moins considérables.

On peut penser que l'accès à ce dernier type de site n'était pas permis à tous. Nous avons des exemples de tels ostracismes en Australie. George Chaloupka en fit un jour l'amère expérience. Un important nouveau site d'art rupestre, très éloigné, lui ayant été signalé dans l'Arnhem Land, il eut la possibilité de s'y rendre en hélicoptère, bien que ce lieu sacré fût réputé dangereux et réservé à des initiés avancés, car il était dédié à Algaigho, divinité femelle, à quatre bras et bois de cervidé sur le crâne, qui brûle tous ceux qui croisent son chemin (fig. 8). Il le visita quand même, mais, au retour, l'hélicoptère refusa de démarrer. Il fallut marcher de longs jours pour se tirer de ce mauvais pas et retrouver la civilisation. Lorsque, quelques jours plus tard, une équipe revint pour réparer la panne, l'hélicoptère avait brûlé. Pour les Aborigènes du lieu, il était évident que c'était Algaigho qui avait ainsi puni la transgression par son moyen de destruction préféré.

Récemment, Tilman Lenssen-Erz a procédé à l'étude des paysages choisis pour l'art du Brandberg, en Namibie, et il a distingué sept cas de figures, dont le dernier (« classe G »), défini par une configuration rocheuse particulière, la création d'un espace clos, un accès restreint ou difficile, est comparable, dit-il, aux conditions des grottes ornées européennes, à la fois par ses fonctions, rituelles et religieuses, et parce qu'il est signifiant en soi (Lenssen-Erz 2008, p. 165-167).

Comment choisissait-on ces lieux ? Les histoires, sacrées ou profanes — qui, on le sait, ne se distinguent pas nécessairement les unes des autres dans les cultures traditionnelles —, conditionnaient ces choix et la nature des sites. Parmi les éléments constitutifs des mythes que suggèrent les observations ci-dessus, on peut mentionner le rôle de l'eau et des rivières, souterraines (cavernes du Volp, Montespan) ou non (Foz Côa), le caractère spectaculaire des montagnes, des canyons ou de certains accidents rocheux (le Pont d'Arc, près de la grotte Chauvet dans la vallée de l'Ardèche), l'importance attribuée à certaines régions élues qui verront l'accumulation de dizaines ou de centaines de sites ornés (Serra da Capivara au Brésil, Toro Muerto au Pérou, Bhimbetka en Inde, Tassili n'Ajjer en Algérie, Acacus en Libye, Kakadu et Pilbarra en Australie), ou encore la nécessité de transmettre des connaissances.

La perception du site comme un lieu de pouvoir, où jadis l'on sentait (ou non) la présence des esprits et des forces surnaturelles, a sans aucun doute été l'une des raisons déterminantes les plus fortes des décisions premières. On n'en parle pas ou peu parce qu'elle ne laisse pas de vestiges concrets quantifiables, et pourtant elle a dû être majeure, qu'il s'agisse d'entrées de grottes, d'abris ou de pieds de falaise. Nous avons vu (chapitre II) que le chamane sibérien percevait le pouvoir inhérent à certains sites et les choisissait ou les écartait pour ses cérémonies en fonction de son ressenti et de ses réactions personnelles. De tels critères subjectifs pour retenir ou refuser un lieu expliqueraient que des cavernes accessibles et qui nous paraissent objectivement propices ont été négligées et qu'il ne s'y trouve aucun dessin paléolithique.[1] C'est le cas de la grotte de Sabart, à Tarascon-sur-Ariège, pourtant située à quelques kilomètres de Niaux, orientée de la même manière, au bord du même cours d'eau, le Vicdessos, et bien visible dans le paysage. Niaux fut transformée en un sanctuaire majeur, Sabart resta

1. On connaît de nombreux exemples de cette façon de procéder. Ainsi, dans le nord du Brésil, « de magnifiques supports lisses ont été négligés dans les hautes galeries où la lumière est encore très suffisante, alors qu'un camarin de grotte et des petits abris voisins à parois très irrégulières et bien moins attirantes à nos yeux ont été choisis » pour les dessins (Prous 1994, p. 139).

ignorée. Peut-être l'une fut-elle perçue par les Magdaléniens comme accueillante et potentiellement bénéfique, alors que l'autre suscitait des sentiments opposés.

ATTITUDES VIS-À-VIS DES GROTTES

Dans les pensées traditionnelles, en effet, les grottes ne sont pas de simples accidents de la nature résultant de phénomènes géologiques.

Ce sont des lieux liminaires. Dans la conception la plus fréquente, elles ouvrent sur (ou constituent en elles-mêmes) un monde de l'au-delà. Les histoires à leur sujet sont innombrables, partout et toujours. On connaît celle de l'homme qui, pénétrant pour une raison quelconque dans une caverne, y rencontre des êtres formidables qui en gardent les passages. Les ayant amadoués ou étant passé près d'eux sans les éveiller ou susciter leur ire, il poursuit son voyage souterrain et finit par rencontrer un ou des esprits puissants qui lui font un don qu'il rapportera dans le monde des vivants. Parfois, l'histoire peut mal tourner (Orphée et Eurydice).

Il est probable que l'on n'approchait pas des grottes comme l'on se déplaçait journellement dans le paysage familier. Je parle surtout des grottes profondes, que Louis-René Nougier appelait joliment et avec à-propos « des bouches d'ombre », qui donnaient sur le monde des ténèbres et des esprits. Sans doute y avait-il des gestes ou des paroles appropriés, à l'instar de Percy Trezise, en Australie, qui annonçait sa présence avant d'entrer dans un abri orné ou des Wunambal qui firent un feu propitiatoire avant de nous montrer leur site. Un danger plus prosaïque guettait les audacieux, puisque nombre de cavernes servaient de repaires à des ours ou autres prédateurs, hyènes, lions, panthères, loups. Outre les rites de conjuration, les Paléolithiques approchant de ces lieux devaient humer l'air à la recherche d'odeurs révélatrices, comme nos guides brésiliens avant d'accéder à un site du Rio Peruaçu où gîtait un puma (cf. chapitre II).

Certaines cavités ornées généralement peu profondes (Marsoulas, Lascaux, Tito Bustillo, Le Placard, Pair-non-Pair), leurs entrées (Fontanet, Le Mas-d'Azil, El Castillo, Isturitz) et surtout les abris (Gourdan, Laussel, Cap-Blanc, Roc-aux-Sorciers) ont cependant été habités plus ou moins longuement. Les activités journalières, dans ces cas, se sont déroulées au pied des parois ornées, alors que les galeries de très grandes cavernes, même d'accès sans réelles difficultés (Niaux, Rouffignac, Chauvet), n'ont pas connu d'occupation de longue durée. Il ne faut voir en cela aucune contradiction. Dans une même conception du monde, une même religion, les signes ou symboles de pouvoir surnaturel que constituent les images peuvent avoir des rôles divers : raconter et perpétuer les mythes fondateurs, avoir une action protectrice ou curative, et bien d'autres. Ces rôles sont susceptibles de varier en fonction des lieux, du temps, des personnes, ce qui ne change rien à l'unité fondamentale des croyances. Dans la religion catholique, le symbole de la croix se retrouve sur l'autel au pied duquel le prêtre dit la messe, mais aussi au chevet du lit de personnes pieuses, sur une tombe ou planté au sommet d'une montagne. Les lieux de vie, dans un abri orné ou non, n'échappaient pas aux croyances des gens de la tribu et aux puissances invisibles qui, selon eux, régissaient l'univers, qu'il fallait respecter et dont on devait se concilier les bonnes grâces.

À certains habitats, cependant, était attribuée une fonction particulière. Ainsi, dans l'Ariège, la grotte d'Enlène correspond avec celle des Trois-Frères par un étroit boyau jonché de vestiges que les Magdaléniens ont souvent emprunté pour aller de l'une à l'autre. Or, si Les Trois-Frères est une grotte ornée majeure, aux centaines de gravures, mais avec des traces d'occupation réduites et avec seulement deux objets gravés, Enlène, à l'inverse, ne compte que très peu d'art pariétal (quelques traits rouges tout à son extrémité), mais en revanche un art mobilier extraordinaire. Il y fut mis au jour, en effet, des dizaines d'objets gravés ou sculptés sur os ou sur bois de renne, et surtout mille cent soixante plaquettes de pierre gravées. Enlène fut habitée jusque dans la Salle du Fond, loin de la lumière du jour. Les Magdaléniens y ont vécu. Ils y ont fait du feu et cuit leurs aliments, taillé le silex, confectionné des objets de parure et gravé les plaquettes avant de les jeter, les briser ou les réutiliser comme pavages ou soles de foyer (Bégouën et Clottes 2008). La grotte de La Vache, toujours dans l'Ariège, eut un rôle voisin, en relation avec Niaux. Les deux cavités sont de part et d'autre d'une petite rivière, le Vicdessos. Il faut environ une demi-heure pour aller de l'une à l'autre. Niaux, le sanctuaire orné que l'on sait, n'a jamais été habité par les Magdaléniens, même pas dans son gigantesque porche. La Vache, au contraire, le fut longuement. Ce n'est pas une grotte ornée, mais son art mobilier est stupéfiant par sa qualité, sa quantité et sa variété (Clottes et Delporte 2003).

Ces habitats, si riches en objets décorés, avaient à l'évidence des fonctions spéciales, en relation directe avec les sanctuaires voisins. Peut-être servaient-ils à des préparations spécifiques, qu'il s'agisse de rites d'initiation et d'apprentissage, de purification, de guérison, de multiplication du gibier ou autres, avant de pénétrer dans la caverne toute proche où ces rites se dérouleraient ?

Les caractéristiques physiques des grottes les ont souvent fait assimiler à des organes génitaux féminins. Les Tainos des Caraïbes croyaient que la caverne était la mère originelle des humains, le ventre dont sortirent les premiers ancêtres qui peuplèrent ensuite la terre. Nombre de rites et pratiques cultuelles lui étaient consacrés (López Belando 2003, p. 279).

Que les grottes aient eu une signification féminine, au Paléolithique supérieur comme plus tardivement, ne fait guère de doute. L'abbé Henri Breuil et André Leroi-Gourhan l'avaient depuis longtemps fait remarquer (Leroi-Gourhan 1982)[1]. L'entrée de la grotte du Parpalló, non loin de Valence en Espagne, a la forme d'une vulve (Utrilla Miranda 1994, p. 105, note 20 ; Utrilla Miranda et Martínez Bea 2008, p. 123). Ce n'est peut-être pas un hasard si cette grotte, où se trouvent quelques œuvres d'art pariétal, fut choisie pour y accomplir un geste très particulier, qui y fut répété pendant environ quatorze mille ans, du Gravettien au Magdalénien final inclus : le dépôt de plaquettes de pierre peintes ou gravées. Les fouilles ont en effet révélé une succession de couches archéologiques où plus de cinq mille plaquettes ornées, gravées ou peintes furent mises au jour (Villaverde Bonilla 1994). Ce site témoigne donc de la persistance des croyances magico-religieuses et des rites précis auxquels elles donnaient lieu, dans un lieu sans doute perçu comme une matrice originelle.

La féminité des cavernes paléolithiques est également attestée par d'autres exemples. Ainsi, à

1. « *The cave itself, as a whole or in certain parts, played in many cases the role of the female symbol* » (p. 58).

Gargas (Hautes-Pyrénées), une assez grande cavité dans la grotte a été entièrement peinte en rouge. Dans Le Combel de Pech-Merle (Lot), ce sont des stalactites dont la forme évoque des seins qui furent rougies à leur extrémité. Les contours de formes naturelles de la paroi, fissures ou creux, ont été soulignés de gravures (Bédeilhac) ou de peintures (Cosquer) pour en accentuer le caractère d'organes génitaux féminins. André Leroi-Gourhan avait remarqué et signalé dans la Galerie profonde de Niaux la présence de signes barbelés (mâles, dans son système interprétatif) près de deux « alcôves », évidemment féminines.

Ces grottes profondes, vraisemblablement perçues comme femelles, en tout ou en partie, constituaient un monde étrange et différent. L'obscurité totale exigeait l'usage de lampes à graisse, qu'il fallait recharger périodiquement et dont on devait changer la mèche, ou de torches en bois de pin dont on amenait des brassées avec soi. Si elles s'éteignaient, on pouvait les rallumer aisément avec un briquet fait d'un minerai tel que la pyrite ou la marcassite que l'on entrechoquait avec un silex pour en faire jaillir les étincelles recherchées, ou encore avec un foret en bois qui allumait le feu par friction. De nombreuses expérimentations modernes ont fait la preuve de l'efficacité de ces techniques (Perlès 1977 ; Collina-Girard 1998). Lorsque l'on se déplaçait dans la caverne, la flamme, qui n'éclairait qu'un faible périmètre autour de son porteur, vacillait et les ombres bougeaient sans cesse sur les parois, les faisant vivre et accentuant des reliefs qui retournaient bientôt dans les ténèbres. Ces conditions doivent toujours rester en mémoire si l'on veut avoir une idée de la perception de la grotte et de ses parois par les Paléolithiques, en partie induite par les contraintes de l'éclairage.

Autre étrangeté, ce que les spécialistes appellent les spéléothèmes, c'est-à-dire les concrétions, stalactites et stalagmites de toutes variétés et origines. Ces concrétions aux formes bizarres, depuis les fines excentriques qui semblent avoir poussé dans toutes les directions, en bouquets ou en filaments contournés, jusqu'aux énormes colonnes montant vers les voûtes, n'ont pu manquer d'exciter l'imagination des hommes. Après tout, elles n'existent pas dans la nature, à l'extérieur, et elles appartiennent en propre au mystérieux univers souterrain. Un monde de l'au-delà a nécessairement des caractéristiques originales. Elles frappent l'esprit de ceux qui y pénètrent, demandent des explications et sont susceptibles d'être bénéfiques ou maléfiques. Nous verrons l'usage qui, à l'occasion, a pu en être fait.

Les Mayas d'Amérique centrale, qui, pendant des centaines d'années, fréquentèrent assidûment les cavernes profondes pour leurs rites, portèrent une attention particulière aux spéléothèmes. Les exemples de bris et de réutilisation de concrétions sont nombreux, dans des douzaines de grottes, et ont fait l'objet d'études approfondies (Brady *et al.* 1997).

Certaines furent travaillées et transformées en idoles. Il en fut également découvert à l'extérieur, cachées sur des sites d'habitat, dans des autels ou associées à des sépultures. Ces usages particuliers des concrétions donnent « une bonne indication sur le fait que l'on pensait que ces formations souterraines possédaient une sorte de pouvoir ou de *mana* (terme polynésien utilisé pour le pouvoir spirituel) » (*Id.*, p. 740)[1]. En outre, « chez les Mixtec modernes et d'après les découvertes archéologiques, elles ont pu être régulièrement conservées comme faisant partie des objets de pouvoir protégeant chaque maisonnée » (*Id.*, p. 746)[2].

Ces croyances sur le pouvoir surnaturel des cavernes et de leur contenu, voire de leur environnement, et les usages qui en découlent ne sont pas propres aux Mayas. Bien loin de l'Amérique centrale et de la Polynésie, sur le Plateau tibétain, les grottes sont des lieux sacrés et « les pèlerins à l'occasion prennent de la terre, de l'eau, des pierres, des fragments de plantes, et d'autres objets tout autour de la grotte. Le *gnas* [pouvoir spirituel, un peu comparable au *mana*] sature ces objets et apporte des

1. « *The presence of speleothems in caches and burials and their use as idols is a good indication that cave formations are thought to have some type of power or* mana *(a Polynesian word used to denote spiritual power)* ».

2. « *(...) there is evidence among the modern Mixtec and in the archaeological record that speleothems may have been regularly kept as part of the collection of objects of power that protected every household.* »

bienfaits à ceux qui les possèdent » (Aldenderfer 2005, p. 12)[1]. En Inde (région de Pachmarhi dans le Madhya Pradesh), j'ai pu voir de nombreux sanctuaires dédiés à Shiva où, au pied d'arbres sacrés ou dans des abris, on a déposé des fragments de stalagmites ou des pierres aux formes contournées recouvertes de peinture rouge. Parfois, dans des entrées de grottes, ce sont les stalagmites elles-mêmes qui ont été honorées, colorées du rouge sacré et recouvertes de fleurs et de feuilles (fig. 14).

Revenons aux grottes paléolithiques. Aucune caverne n'est identique à une autre. Même si les Paléolithiques d'il y a 35 000 ou 14 000 ans se sont comportés de la même façon dans le milieu souterrain, allant partout, jusqu'au fond, se glissant dans de petits réduits, explorant les galeries adjacentes et y laissant leurs traces, il est possible qu'ils aient perçu les grottes différemment selon qu'elles étaient immenses, comme Niaux, Rouffignac, La Cullalvera en Cantabrie ou Nerja en Andalousie, avec des voûtes et des galeries qui se perdaient dans le noir, ou bien, au contraire, lorsqu'il s'agissait de couloirs relativement étroits (Marsoulas, Font-de-Gaume, Massat, Gabillou), ou de petites grottes dans la pénombre (Pair-non-Pair) où l'on accédait sans problème et sans risques. Dans la grotte

1. « *Pilgrims may take earth, water, stones, plant parts, and other objects from around the cave.* Gnas *saturates these objects, providing benefits to their possessors* ».

de Niaux, on constate ainsi que la Galerie d'Entrée, notablement moins large que les galeries profondes, porte des tracés sur ses deux parois, que le visiteur voyait en marchant au milieu du couloir, même à la faible lueur des torches ou des lampes à graisse. Plus avant dans la grotte, après le Grand Carrefour, les galeries s'élargissent et seule la paroi droite, que la conformation des lieux invite à suivre, est alors ornée, outre quelques accidents rocheux bien visibles comme des pendants en milieu de galerie (Clottes 2010a).

Quant à la répartition et à la localisation des peintures, elles témoignent dans de nombreuses grottes de deux logiques différentes. Nous pourrions les qualifier de « logique du spectaculaire » et de « logique des lieux retirés ».

Les superbes compositions de la Salle des Taureaux de Lascaux, du Salon Noir de Niaux, ou du Grand Panneau de la Salle du Fond à Chauvet sont d'éminents exemples de la première. Les salles, relativement vastes, pouvaient accueillir des groupes assez fournis. Les images dessinées ou peintes sont détaillées, parfois complexes, et présentent des dimensions respectables. Elles se voient de loin, comme le grand cheval rouge et noir de Labastide (Hautes-Pyrénées), peint sur un grand rocher en plein milieu du passage et dont les contours furent cernés de blanc par raclage. Parfois, en ces lieux, les images sont inextricablement superposées les unes aux autres sur des panneaux choisis (Sanctuaire des Trois-Frères, Abside de Lascaux). Cela implique des participants à des cérémonies collectives, fréquentes ou non. Ces images soignées, visibles, pouvaient jouer un rôle social dans la célébration des rites, dans la perpétuation des croyances et des manières de concevoir le monde et de s'assurer l'aide des puissances invisibles.

Dans d'autres cas et parfois dans la même grotte, les dessins furent effectués dans un petit recoin où seule une personne pouvait se glisser, comme le Camarin du Portel (Ariège), dont parois et voûte sont entièrement couvertes de figures impossibles à voir en commun (fig. 15). Il en est de même du Cabinet des Petits Rennes des Trois-Frères, du Sanctuaire des Mains de Gargas (Hautes-Pyrénées) ou du Camarin des Vulves rouges de Tito Bustillo (Asturies). À Lascaux, le très étroit Diverticule des Félins, ainsi appelé en raison de plusieurs lions gravés — les seuls de toute la grotte et sans doute cela a-t-il une signification — ne fut que rarement fréquenté, à en juger par l'absence de traces sur la surface molle et vulnérable de ses parois que des passages fréquents auraient immanquablement marquées. À une logique du spectaculaire est ainsi parallélisée une logique du lieu retiré et secret, du dessin en soi, auquel n'a accès que la personne qui a réalisé les œuvres ou un(e) initié(e) pour un rite particulier, alors que d'autres constituent de véritables « scènes de théâtre », comme El Pendo en Cantabrie (Utrilla Miranda et Martínez Bea 2008,

p. 120)[1]. On constate cette double logique depuis l'Aurignacien de Chauvet jusqu'au Magdalénien des Trois-Frères et du Portel, en passant par le Gravettien de Gargas et le Solutréen de Lascaux. Elle a donc traversé âges et cultures et fait partie intégrante des modes de pensée et, en conséquence, de l'utilisation des grottes par les Paléolithiques.

Cela n'a rien pour étonner. Quelles que soient les religions, les lieux sacrés, en effet, ne le sont pas de manière homogène. Dans une église, où le saint des saints — le chœur — abritera l'hostie consacrée, présence tangible du Dieu des fidèles, une chapelle peut être consacrée à saint Antoine de Padoue, censé favoriser la trouvaille d'objets perdus, à la Vierge sous l'un de ses nombreux avatars, ou à tel autre saint aux vertus curatives ou protectrices précises.

Les Mayas, qui pendant des centaines d'années fréquentèrent assidûment les cavernes de l'Amérique centrale pour leurs cérémonies, avaient beaucoup de points communs avec les Paléolithiques européens dans leur manière d'aborder le milieu souterrain, qu'ils considéraient eux aussi comme femelle (Brady 1988). Comme eux, ils s'y déplaçaient pieds nus et s'éclairaient avec des torches. Comme eux, ils allèrent très loin sous terre et ne se laissèrent pas arrêter par les obstacles physiques

1. Ces deux auteurs ont, dans l'article cité, également insisté sur le double rôle des cavernes ornées, « espaces publics » et sanctuaires « privés ».

rencontrés (Stone 1995, p. 14). Comme eux, enfin, ils ne se comportèrent pas en leur sein de manière uniforme. Andrea Stone parle à ce propos de « géographie sacrée » (Stone 1995)[1] où les entrées dans ce monde surnaturel, mais aussi les lieux les plus retirés, les plus éloignés et les plus difficiles d'accès, ceux près d'une arrivée d'eau ou d'une rivière souterraine, étaient chargés de significations et de pouvoirs particuliers et faisaient l'objet de cérémonies et de dépôts rituels.

Qu'en est-il alors des personnes qui, dans les temps paléolithiques, avaient accès aux cavernes sacrées ? Les « artistes » possédaient sans aucun doute un statut spécial et nous verrons ultérieurement ce que l'on peut en penser, mais ils n'étaient pas (ou du moins pas toujours) seuls. Les traces et empreintes nous renseignent quelque peu à ce sujet, jamais assez. Ces vestiges fugaces, des plus vulnérables, ne se sont en effet pas conservés dans la plupart des grottes, par exemple sur les sols durs, ou bien ils furent détruits par les actions de la nature (ruissellements, concrétionnements) et surtout par les pieds des premiers visiteurs qui les ignorèrent. Ainsi, dans l'immense caverne de Niaux, les empreintes préhistoriques ont disparu car les

1. La « géographie sacrée » s'applique également aux structures extérieures (monuments, montagnes) et pas seulement aux grottes. « *There was an ongoing dialogue between the wilderness and the built environment among the ancient Maya* » (p. 241).

sols ont été partout piétinés depuis des siècles. Les seules parvenues jusqu'à nous se trouvent dans un diverticule surbaissé — et donc naturellement protégé — où deux enfants ont, à deux reprises distinctes, imprimé leurs pieds nus dans la boue (fig. 16) (Pales 1976). Encore ne savons-nous pas s'ils étaient contemporains des artistes.

Fig. 16. Dans la caverne de Niaux (Ariège), deux enfants préhistoriques ont laissé les empreintes de leurs pieds nus dans un diverticule boueux.

Ce dernier problème ne se pose pas dans des cavernes qui ne furent fréquentées qu'à une seule époque, comme ce fut le cas, au Magdalénien, pour le réseau supérieur du Tuc d'Audoubert ou pour la grotte de Fontanet (Ariège). Les empreintes humaines dans les galeries les plus profondes du Tuc sont assez nombreuses, surtout celles d'adultes, mais on note également, au bord du passage actuel, deux pieds d'un enfant d'environ quatre ans, qui a glissé sur la pente et s'est freiné en recroquevillant ses orteils dans l'argile (Bégouën *et al.* 2009, p. 272). Tout au fond de la grotte, non loin des célèbres bisons d'argile, on connaît depuis la découverte du site en 1912, dans la Salle des Talons, les empreintes de plusieurs enfants ou adolescents qui ont participé à quelque cérémonie, n'appuyant pas leur pied sur toute sa surface mais marchant sur les talons (Vallois 1928). À Fontanet, des adultes sont venus, la plupart pieds nus mais l'un d'eux était chaussé d'une sorte de mocassin souple, exemple jusqu'ici unique au Paléolithique. Ils étaient accompagnés par des jeunes (fig. 17), dont au moins un enfant d'environ six ans, qui a laissé l'empreinte très nette de sa main sur le sol (Clottes, Rouzaud, Wahl 1984, p. 435). Dans la grotte Chauvet, une vingtaine d'empreintes appartenant à un pré-adolescent (environ 1,30 mètre), « plutôt un garçon », ont été étudiées par Michel-Alain Garcia, qui pensait qu'il pouvait être accompagné d'un chien (Garcia 2001,

Fig. 17. Empreinte de main d'enfant sur le sol de la grotte de Fontanet (Ornolac-Ussat-les-Bains, Ariège).

2010 p. 36-40). Les mouchages de torche le long du cheminement relevé ont donné des dates de l'ordre de 26 000 BP. D'autres grottes ont conservé des empreintes (Montespan, Cosquer, l'Aldène, Pech-Merle) ou des traces (mains à Gargas, tracés au doigt à Rouffignac) imputables à des enfants.

Cela signifie que des personnes de tous âges, des

adultes, mais aussi de très jeunes enfants (Le Tuc d'Audoubert, Fontanet) et des pré-adolescents, avaient accès aux galeries profondes. Cela signifie aussi que les jeunes n'étaient pas exclus de certains rites. Nous en avons la preuve au Tuc d'Audoubert dans la Salle des Talons, mais aussi à Cosquer, où une main d'enfant fut imprimée dans la surface molle d'une paroi à 2,20 mètres de haut : cet enfant fut délibérément porté ou soulevé par un adulte (fig. 18) (Clottes, Courtin, Vanrell 2005a, p. 64). C'est encore le cas à Rouffignac, où un enfant au moins, d'après la largeur des doigts, fut également soulevé pour faire des tracés digitaux complexes sur une voûte (Sharpe et Van Gelder 2004), ainsi qu'à Gargas, où une main de bébé fut maintenue contre la paroi par un adulte pour créer une main négative par soufflage du pigment (Barrière 1984, p. 518).

Distinguer le sexe des adultes qui fréquentèrent les grottes ornées est beaucoup plus difficile, car les empreintes de pieds ne peuvent être sexuées. Les seuls éléments matériels sur lesquels on se base sont la taille de la personne et la morphologie des mains. Deux tentatives, d'inégale valeur, ont été faites dans ce sens, à Chauvet et à Cosquer. Il existe dans la grotte Chauvet plusieurs panneaux de grosses ponctuations rouges réalisées par application sur la paroi de la main couverte de peinture. Assez fréquemment, une partie des doigts a été conservée.

Fig. 18. Dans la grotte Cosquer (Marseille, Bouches-du-Rhône), un enfant a été soulevé par un adulte pour qu'il puisse imprimer sa main dans la surface molle de la paroi, à 2,20 m. du sol.

Or deux de ces panneaux ont été réalisés chacun par une personne différente. Le premier, qui compte quarante-huit « points », l'a été par une personne de taille relativement petite, ce qui correspondrait « à la main d'une femme ou d'un adolescent ». Le second compte quatre-vingt-douze ponctuations de même technique, dont les plus hautes « sont situées à deux mètres trente du sol actuel, ce qui correspondrait à un homme d'une stature d'un mètre quatre-vingt environ » (Baffier et Feruglio 1998, p. 2).

À Rouffignac, certains tracés digitaux au plafond sont « à portée, à certains endroits, d'un homme d'un mètre quatre-vingt en extension sur la pointe des pieds » (Sharpe et Van Gelder 2004, p. 15). À Cosquer, un animal gravé sur une voûte haute n'a pu l'être que par une personne se tenant sur une arête stalagmitique ancienne. L'étude des lieux nous a montré que c'était la seule possibilité pour la réalisation de la gravure et qu'aucune trace d'échelle ou d'échafaudage n'existait. Compte tenu de la distance, l'auteur du dessin mesurait au moins 1,90 mètre, c'est-à-dire était vraisemblablement un homme (Clottes, Courtin, Vanrell 2005a, p. 215).

En revanche, dans la même grotte, la main négative qui attira en premier l'attention d'Henri Cosquer lorsqu'il découvrit les peintures, fut toujours considérée comme féminine en raison de ses proportions et de son poignet graciles (*Id.*, fig. 48, p. 67). Or Jean-Michel Chazine et Arnaud Noury se sont efforcés, en 2006, de déterminer le sexe des auteurs des mains négatives en s'appuyant sur ce que l'on a appelé l'indice de Manning, d'après les recherches de John Manning sur le rapport de la longueur entre l'index et l'annulaire : ces deux doigts auraient statistiquement la même longueur chez la femme, alors que l'annulaire serait plus long que l'index chez l'homme. À Cosquer, en fonction de ces critères, les mains entières féminines seraient plus nombreuses que les masculines. Cette méthode a depuis été critiquée en raison de ses trop nombreuses incertitudes et elle est à présent abandonnée.

Quoi qu'il en soit, il est plus que probable qu'hommes, femmes et enfants se soient, en certaines circonstances, rendus dans les profondeurs mystérieuses des cavernes ornées. Bien des questions, que nous suggèrent les comportements attestés par l'ethnologie, restent encore sans réponses : y allaient-ils ensemble ou séparément pour des rites distincts ? avaient-ils tous accès aux mêmes lieux ou certains de ces lieux étaient-ils tabous pour tels ou tels, en fonction du sexe ou du degré d'initiation ? les grottes étaient-elles accessibles pour les cérémonies en toutes périodes ou décidait-on d'y aller à certaines époques de l'année seulement ?

Nous savons, en revanche, que leur fréquentation s'est étalée dans le temps. Il est rare, comme au Castillo ou à Llonín, qu'un porche ait servi d'habitat pendant tout le Paléolithique supérieur et que les galeries profondes qui le prolongent aient été fréquentées au cours des nombreux millénaires que durèrent ces occupations. Des visites différentes largement espacées, parfois de plusieurs millénaires, sont beaucoup plus courantes. C'est le cas à Chauvet, où nous avons la preuve que les Aurignaciens se rendirent à diverses reprises dans la grotte environ quatre mille ans avant une (ou des) incursion(s) gravettienne(s). À Cosquer, ce sont les

Gravettiens qui précédèrent de six à sept mille ans les Solutréens qui leur succédèrent. Aux Trois-Frères, les Gravettiens furent les premiers à réaliser quelques dessins, mais c'est au Magdalénien moyen, quelque douze mille ans plus tard, que la grotte fut le plus utilisée et ornée. On pourrait multiplier ce type d'exemples (Peña de Candamo, Cougnac, Pech-Merle, Le Portel, Font-de-Gaume, La Garma, Altamira, Tito Bustillo), même si les grottes culturellement homogènes sont les plus nombreuses à toutes les époques (Gargas, Cussac, Lascaux, Rouffignac, Niaux, Bédeilhac, Fontanet, Montespan, Le Tuc d'Audoubert, Pindal, Ekain).

Ces fréquentations étagées sur des millénaires posent plusieurs problèmes. On comprend, lorsqu'un effondrement de la falaise a colmaté l'entrée (Chauvet, Cussac), que, dorénavant, une grotte ne soit plus physiquement accessible. Mais lorsqu'elle fut réutilisée quelques milliers d'années après les premières visites, cet argument ne tient pas. Qu'a-t-il pu se passer ? L'entrée aurait-elle été délibérément fermée pour interdire la grotte ou fit-elle l'objet de tabous qui finirent par s'estomper ? Si, dans l'avenir, des fouilles étaient menées dans les entrées de grottes ornées aujourd'hui obstruées, il serait intéressant de rechercher les traces possibles de colmatages volontaires anciens. La question reste en tout cas posée.

Les grottes profondes n'ont pas été intensément fréquentées. Leur faible nombre en Europe, ajouté à la localisation de tant d'images dans des lieux inaccessibles à des groupes, même peu nombreux, est contradictoire avec la seule représentation de mythes dans un but didactique, pour la transmission des connaissances sacrées ou leur pérennisation à l'usage de la collectivité dont divers membres se rendraient au pied des parois ornées pour des cérémonies collectives. André Leroi-Gourhan, après d'autres, évoqua clairement cette question : « Un fait a frappé les préhistoriens (et au premier chef H. Breuil), c'est que les grottes sanctuaires n'ont pas toutes livré les traces d'une intense fréquentation, certaines et non des moins élaborées, comme Niaux, semblent même avoir été très peu fréquentées ». En conséquence, il poursuivit : « Personnellement, je me suis souvent demandé si le fait de savoir que ce monde organisé existait au cœur de la terre n'était pas le plus efficace de la figuration et si l'homme ou les hommes compétents (pour ne pas dire initiés) n'étaient pas à même de le visiter, en corps ou en esprit » (Leroi-Gourhan 1977, p. 23). Dans ce cas, les connaissances sur l'existence des sanctuaires profonds auraient longtemps persisté et ce ne serait qu'exceptionnellement qu'ils auraient été réouverts ou fréquentés à nouveau, peut-être par des initiés et dans des circonstances rares et spéciales.

Le second problème majeur posé par des visites aussi espacées est celui de l'attitude des derniers arrivants vis-à-vis de leurs prédécesseurs, de leurs œuvres et de leurs traces qu'ils ne pouvaient ignorer. On peut imaginer l'émotion et l'appréhension d'un petit groupe de Gravettiens pénétrant dans la grotte Chauvet et découvrant la Niche des Chevaux ou le Grand Panneau de la Salle du Fond dans le halo de leurs torches fuligineuses…

Trois types principaux de réactions sont envisageables. L'acceptation des œuvres, chargées d'une magie puissante et porteuses d'histoires sacrées dont parlaient les mythes anciens de la tribu, fut sans aucun doute la réaction la plus fréquente. Dans la très grande majorité des cas, en effet, ces œuvres furent respectées et laissées en l'état.

Les traces de destruction volontaire, témoignant d'une attitude de refus ou d'une volonté de désacralisation, c'est-à-dire d'un état d'esprit tout autre, sont rares mais elles existent. À Chauvet, dans la Salle Hillaire, plusieurs représentations de rennes ont été partiellement effacées ou barrées de traits gravés visant à les faire disparaître. Dans la grotte Cosquer, ce sont une quinzaine de mains négatives (six rouges et neuf noires) qui ont subi le même sort (fig. 23). Ces constatations posent plus de problèmes qu'elles n'en résolvent. D'abord, la date précise des dégradations : sont-elles imputables à ceux qui revinrent tardivement dans la grotte, comme on pourrait le penser logiquement, ou aux auteurs mêmes des dessins ou à leurs contemporains pour des raisons qui nous échappent ? Aucune preuve formelle n'existe. Ensuite, pourquoi détruire certains dessins et pas d'autres ? À Cosquer, une cinquantaine d'autres mains négatives ont été respectées.

Enfin, troisième attitude constatée, assez fréquente, l'indifférence apparente vis-à-vis des œuvres anciennes, lorsque des dessins nouveaux viennent les recouvrir. Plusieurs cas de figures (sans jeu de mots...) sont envisageables. Lorsqu'il s'agit d'un panneau singulier, délibérément choisi pour y accumuler des dessins qui s'y superposent et s'y enchevêtrent (Abside de Lascaux, Sanctuaire des Trois-Frères), on peut penser à un phénomène de sacralisation : la paroi recèle un pouvoir que chaque image ajoutée renforce. Nous ne serions pas très loin alors des conceptions de l'abbé Henri Breuil, selon lequel les palimpsestes résultaient d'une accumulation au fil du temps d'opérations magiques séparées, répétées en un même lieu.

À l'inverse, l'effacement d'une image pour lui en substituer une autre, comme à Chauvet (tête de cheval superposée à un renne barré, raclage partiel de gravures de rhinocéros sur le Panneau des Chevaux, préalablement à la réalisation des dessins noirs), donnerait à penser que les images antérieures avaient perdu leur pouvoir ou leur intérêt.

Ces « préparations de la paroi », comme nous avons tendance à les appeler dans notre culture techniciste, pourraient ainsi avoir des significations différentes, plus complexes et plus profondes que de simples gestes pratiques visant à obtenir une surface vierge, un peu comme on effacerait un tableau noir avant d'y écrire à nouveau. Dans la grotte Chauvet, les griffades d'ours se comptent par milliers. Les racler sur une certaine superficie, comme ce fut le cas en particulier dans la Salle du Fond, donne certes un effet de « blanc » propice au dessin, mais cela n'irait-il pas plus loin et ne faudrait-il pas y voir la volonté de détruire « la magie de l'ours », dont la présence est si prégnante dans toute la grotte ? La question peut à tout le moins se poser.

Enfin, l'indifférence due au passage du temps, à l'oubli ou à la perte de fonction que ce dernier entraîne, est indiscutablement attestée par deux séries d'observations. Dans certains abris ornés habités, il arrive que des parois gravées ou peintes finissent par être recouvertes par les couches archéologiques, peu à peu formées par les détritus des gens vivant à leur voisinage immédiat (Le Placard, en Charente, Gourdan et, partiellement, Marsoulas, en Haute-Garonne). Cela signifie qu'elles n'avaient plus le pouvoir, le rôle et l'importance qui leur furent un temps dévolu. Le même état d'esprit présida à l'usage des plaquettes gravées. Si, dans la grotte du Parpalló, plusieurs milliers d'entre elles furent déposées et peuvent constituer des sortes d'ex-voto, dans celle d'Enlène (Montesquieu-Avantès, Ariège), jumelle des Trois-Frères, comme dans d'autres grottes, elles furent utilisées loin sous terre avant d'être brisées, jetées ou réutilisées avec d'autres pierres comme éléments de pavage.

ATTITUDES VIS-À-VIS DES PAROIS ET DES SPÉLÉOTHÈMES

Nous restons dans les grottes, milieu idéal pour nous efforcer de comprendre les attitudes de ceux qui les fréquentèrent au regard des parois et de leurs particularités physiques. Ce milieu conservatoire qu'est celui de la caverne profonde possède en effet un immense avantage sur les abris ou les sites de plein air : les vestiges laissés par les préhistoriques ont pu parvenir jusqu'à nous à l'endroit même où ils les abandonnèrent, alors que ceux que l'on trouve au cours des fouilles sont presque toujours en position secondaire ou tertiaire, cassés et dispersés. Quant aux traces conservées sur les parois et les sols souterrains, depuis longtemps disparues dans les abris et en extérieur, elles sont particulièrement révélatrices des comportements.

Quatre types majeurs de comportements en relation avec les parois et les sols sont observables. Ils concernent le choix des parois pour les dessins, l'interprétation des reliefs naturels, les actions suggérées par les parois, l'utilisation spécifique des spéléothèmes.

Les choix des parois

Nous avons vu que les choix des lieux, extérieurs ou souterrains, pour y réaliser peintures et gravures, n'étaient pas simples et obéissaient à diverses logiques. Il en va de même à l'intérieur des cavernes de quelque envergure. Lorsque nous avons affaire à un simple couloir (Marsoulas, Font-de-Gaume) ou à des cavités de faibles dimensions, le phénomène est moins visible, car les choix étaient moindres. En revanche, il n'est pas de caverne étendue (Niaux, Chauvet, Rouffignac, Pindal, Tito Bustillo, Nerja, La Cullalvera) sans que l'on constate la présence de parois qui se seraient parfaitement prêtées au dessin et qui ne furent jamais utilisées. Dans la grotte Chauvet, la première salle (Salle des Bauges) est la plus grande de la caverne et ses parois, lisses et blanches, eussent *a priori* été très propices. Or il ne s'y trouve de peintures que tout au fond. Cela me parut tellement surprenant qu'au début de nos recherches dans la grotte je demandai à des géologues de l'équipe s'il aurait pu y avoir une dégradation superficielle des parois par des phénomènes naturels (courants d'air, écoulements d'eau, calcitations superficielles) susceptibles d'avoir détruit des œuvres. La réponse fut négative. L'absence de tout graphisme était donc bien due à un choix et non pas à une érosion subséquente.

À l'origine de ce choix, il peut y avoir deux raisons. Elles ne sont pas contradictoires. Peut-être fallait-il, à Chauvet, réaliser les dessins dans l'obscurité totale, en dehors de la lumière du jour ? Dans la grotte, assez étendue, de Mayrière supérieure (Tarn-et-Garonne), les deux seuls bisons qui y furent représentés se trouvent exactement à la limite du « point de jour », c'est-à-dire à l'endroit précis où l'on distingue encore faiblement la lumière de l'entrée, mais où l'on se trouve déjà dans le noir.

Sans doute aussi fallait-il que la paroi accepte le dessin et que l'impétrant ressente cette acceptation. Nous avons eu des exemples actuels ou récents de ce type de comportement dans le sud-ouest américain (cf. chapitre II). Avant tout travail sur la paroi, plutôt que de rechercher une surface où il serait techniquement facile de dessiner, on peut légitimement penser que le peintre s'efforçait de percevoir s'il était bienvenu ou non, si cette paroi particulière convenait — non pas physiquement, mais spirituellement — pour y apposer une image et laquelle, ou si, au contraire, elle le refusait, ou était dénuée de pouvoir.

Dans les choix des lieux et des parois, l'acoustique a pu jouer un rôle. Dans l'immense caverne de Niaux, le Salon Noir, où fut réalisée la très grande majorité des dessins, est le seul endroit de la grotte où les parois font caisse de résonance : les sons s'amplifient et résonnent comme dans une cathédrale. Ce phénomène naturel aurait-il désigné cet endroit comme un lieu sacré propice aux dessins ? C'est probable, car les Magdaléniens n'ont pu manquer d'en être impressionnés et de l'interpréter à leur manière. Plusieurs spécialistes, Iégor Reznikoff, Michel Dauvois, Steve Waller, ont étudié les caractéristiques acoustiques de grottes ou abris ornés (Dauvois et Boutillon 1994 ; Reznikoff 1987 ; Reznikoff et Dauvois 1988 ; Waller 1993) et en ont déduit que, dans un certain nombre de cas, des accumulations de peintures coïncidaient avec des lieux de résonance maximale, ce qui accréditerait fortement cette hypothèse.

L'importance et l'interprétation des reliefs naturels

La croyance en un pouvoir surnaturel de la paroi est à proprement parler vitale, puisqu'elle suscite nombre de représentations. Elle seule explique l'utilisation constante des contours naturels, c'est-à-dire des multiples reliefs de la paroi, creux, bosses, fissures. C'est l'un des phénomènes majeurs, peut-être le plus important, de tout l'art paléolithique, sur lequel on ne saurait trop insister. Depuis l'Aurignacien de Chauvet jusqu'à la fin des temps glaciaires, on constate que des fissures ont été complétées pour matérialiser un bouquetin ou un mammouth

(Chauvet), qu'un creux évoquant naturellement une tête de cerf a été doté de deux andouillers sur ses bords (Niaux), que de petites stalagmites ont servi de pénis pour les hommes du Portel dessinés autour d'elles, que des reliefs ont été transformés en bisons (Altamira, El Castillo), en tête de cheval (Pech-Merle), en poitrails ou en dos de cerfs mégacéros (Cougnac, La Pasiega), en têtes fantomatiques (Altamira, Vilhonneur, Foissac) ou des creux en vulves (Bédeilhac, Cosquer). La diversité des sujets représentés de la sorte prouve qu'il s'agissait bien d'un état d'esprit général et non pas de la recherche d'un animal ou d'un thème particulier. La constance de ce phénomène — qui n'allait pas de soi — tout au long des vingt-cinq mille ans de l'art des cavernes et dans toute l'Europe montre à l'évidence que cette attitude était et resta fondamentale (Lewis-Williams 1997)[1].

En prendre conscience nous-mêmes et nous efforcer de jeter sur la paroi un regard proche de celui des Paléolithiques a conduit à plusieurs découvertes qui confirment notre propos. D'autres suivront, sans doute. Ainsi, en 2004, je guidais un groupe de participants à un Symposium international qui venait de se tenir au Parc de la Préhistoire à Tarascon-sur-Ariège, et je leur montrais le Salon Noir, lorsque ma lampe fit ressortir des fissures

1. Lewis-Williams insista beaucoup sur ce phénomène et ses implications religieuses.

auxquelles aboutissaient deux longs traits noirs, connus des familiers de Niaux mais jusque-là considérés comme des tracés sans grande importance, ou, au mieux, comme un signe géométrique. Une tête de bouquetin m'apparut, composée de fissures naturelles pour la tête et le poitrail et complétée par les deux traits noirs convergents pour les cornes. L'examen rapide auquel je me livrai confirma l'impression première.

Lors d'une nouvelle visite, j'eus l'idée de chercher si une utilisation de formes naturelles, comparable à celle-ci, ne pourrait expliquer un autre bouquetin, des plus sommaires, tout à gauche du même panneau, fait d'un trait pour le dos et de deux autres pour les cornes. En faisant jouer la lumière, il devint vite évident que, lorsque la source lumineuse est tenue très à gauche de l'animal, un relief évoquant une tête se voit nettement ; ce relief est souligné d'un trait courbe, sans doute gravé, à l'emplacement de la mâchoire ; il n'avait jusqu'alors jamais été remarqué.

Ces deux bouquetins ont donc été réalisés, peut-être par une même personne, en tout cas avec le même état d'esprit, qui consistait à rechercher soigneusement des formes animales dans la roche. Alors que les contours naturels du bouquetin de droite sont visibles ou se devinent d'où que l'on tienne la lampe, il n'en va pas de même pour l'autre, dont la tête ne surgit qu'avec la lumière franchement à sa gauche, tout près de la paroi. Un éclairage à la torche ou à la lampe à graisse ne pouvait qu'accentuer le phénomène et donner vie à ces animaux immanents dans la roche (Clottes 2004d, 2010a).

D'autres découvertes ont été faites. En 2009, je revisitai La Pasiega avec Marcos Garcia, alors directeur des grottes, et José-María Ceballos del Moral, que nous appelons Chema et qui en fut pendant longtemps le guide-chef. Dans la galerie B, un oiseau est presque entièrement composé par un fort relief de la paroi et seuls l'œil et les pattes ont été matérialisés et prouvent que cette ressemblance n'avait pas échappé au visiteur paléolithique (fig. 19). Tout près de là, sur la même paroi, se trouvait une ligne courbe isolée, faite de points rouges accolés. L'idée me vint qu'il pourrait s'agir du ventre d'un animal, mais je recherchai en vain tout relief pouvant le compléter. Ce n'était donc pas ça. Et si c'était une ligne de dos ? Cette hypothèse se vérifia immédiatement et nous vîmes surgir la tête et le poitrail d'un possible cheval dont la ligne de points rouges matérialisait le dos et le départ de l'encolure (fig. 20). Après avoir, non sans surprise, vérifié cette trouvaille, mon ami Chema, pour qui les grottes cantabres et en particulier celles du Monte Castillo n'ont pas de secrets, s'exclama : « J'en connais une autre ! » Il nous amena précipitamment dans une salle voisine, où l'on connaissait depuis un siècle une biche sans tête. Dans le faisceau de la lampe, inclinée pour accentuer les reliefs, celui de la tête apparut : la biche était complète... Chema n'oublia pas cette expérience. Fin 2010, il me dit qu'étant récemment allé revoir avec des collègues la grotte de Llonín, dans les Asturies, on lui montra deux oreilles gravées de biche, apparemment isolées. Il fit jouer la lumière et la tête, faite d'un relief naturel, surgit alors de l'ombre, à la surprise générale.

Pas plus que la tête de biche de Llonín, nombre de reliefs ainsi transformés n'éclataient aux yeux. Il en est ainsi du mégacéros de La Pasiega, où l'artiste commença par la tête et la bosse visibles dans la roche, matérialisées par des fissures naturelles (fig. 21), ou encore du « bison mourant » de la Galerie profonde de Niaux, réalisé à partir d'une concavité qui imposait de le montrer en position verticale. Ces reliefs ont dû être longuement recherchés. Il faut penser que ceux qui fréquentèrent les cavernes, en des circonstances rares, à la faible lumière de leurs lumignons, étaient particulièrement attentifs aux formes qui apparaissaient et disparaissaient, dans leur halo, sur les parois de ces lieux étranges. Y voyaient-ils des esprits prêts à surgir de la roche où certains de leurs contours corporels se devinaient[1] et dont ils pouvaient capter la puissance

1. Dès 1929, le chanoine Amédée Lemozi, qui étudia Pech-Merle, envisageait cette hypothèse : « L'animal jouit à l'intérieur des grottes d'une sorte de préexistence mystérieuse, sa présence se manifeste par de vagues contours naturels que l'artiste n'aura qu'à souligner et à mettre en relief par quelques traits discrets. Ici, l'art, dit le P. Mainage, est au service de la religion » (Lemozi 1929; p. 45).

ou entrer en contact avec eux en les complétant par le dessin ? Toujours est-il que les Paléolithiques ne furent pas les seuls à agir ainsi. J'ai cité l'utilisation de contours naturels dans l'art de Baja California au Mexique. Les exemples sont plus nombreux encore dans les cavernes sacrées des Tainos des Caraïbes (López Belando 2003, p. 281).

Les trous et fissures des parois, outre les utilisations citées, pouvaient avoir un autre rôle dans la création des images. En Asie, on a noté « la combinaison intentionnelle de certaines images avec des fissures naturelles de la roche. De nombreuses mythologies asiatiques chamaniques expriment la croyance selon laquelle les fissures des rochers (...), de même que les trous dans la terre et de simples grottes, étaient les portes du monde des esprits » (Rozwadowski 2004, p. 74)[1]. Une attitude similaire vis-à-vis du monde souterrain en ferait considérer les failles comme des échappées sur l'au-delà. Des animaux esprits pouvaient en surgir ou y rentrer, ou elles étaient chargées d'un pouvoir surnaturel femelle qui déterminait certains rites. De fait, de nombreuses constatations vont dans ce sens. Dans l'art magdalénien de Niaux, sur le premier panneau du Salon Noir, deux bisons ont été dessinés de part et d'autre d'une grande fissure médiane

1. « *Numerous Asian shamanic mythologies express the belief that rock crevices such as these, along with holes in the earth and simple caves, were the gates to the world of spirits* ».

comme s'ils en sortaient. Dans la grotte Chauvet, près de vingt mille ans auparavant, des exemples semblables abondent : bouquetin, aurochs, bison dont seul l'avant-train est représenté, le reste du corps semblant encore pris dans la gangue de la roche (fig. 22) ; rhinocéros ou cheval paraissant émerger d'un creux.

Le plus curieux, dans la même grotte, est la composition de la Niche des Chevaux, l'un des deux panneaux majeurs de Chauvet. Les parois, couvertes de peintures remarquables, convergent pour former un réduit au bas duquel se trouve un trou d'une quinzaine de centimètres de diamètre. Lorsqu'il se produit des pluies fortes et prolongées sur plusieurs jours, de l'eau s'accumule dans les poches du karst et commence à s'écouler par ce trou avant de rejoindre et d'ennoyer la Salle du Crâne voisine, un peu en contrebas. Ce phénomène exceptionnel, au déclenchement duquel nous avons assisté deux ou trois fois en douze ans, est précédé de gargouillements étranges qui proviennent des profondeurs de la roche. Comment ne pas penser que les Aurignaciens aient pu en être des témoins impressionnés et avoir attribué à ce lieu une puissance magique particulière ? Le second panneau majeur de Chauvet, dans la Salle du Fond, comprend lui aussi deux volets, de part et d'autre d'une petite niche centrale d'où semble sortir un cheval, à l'arrière-train en partie caché par le relief de la paroi (fig. 22, en bas à droite).

La grotte en elle-même, par sa nature et par ses particularités propres, interprétées au travers des croyances traditionnelles, avait donc une importance et un rôle déterminants dans la réalisation des œuvres. Avant de les y apposer et de procéder à leurs cérémonies, ses visiteurs examinaient soigneusement les parois et s'efforçaient d'en déceler les potentialités ou d'en déchiffrer le sens profond.

Peintures et gravures leur permettaient d'une certaine manière un contact avec la réalité surnaturelle. L'image pouvait avoir des fonctions multiples : recréer un mythe, le donner à connaître aux non-initiés ou le rappeler aux autres dans les grandes salles, mais surtout, peut-être, capter un pouvoir et le pérenniser en le dessinant. D'autres gestes témoignent de la volonté d'entrer en contact direct avec les forces du monde de l'au-delà.

Entrer en contact avec la paroi et ce qu'elle recèle

En fonction des traces qui nous sont parvenues, nous distinguerons trois manières principales possibles d'obtenir ce contact : les mains négatives ou positives, les tracés digités et les attouchements, enfin les os plantés sur lesquels nous nous attarderons en raison de l'importance de ces vestiges aussi modestes que méconnus.

LES MAINS

Placer sa main sur la paroi et en matérialiser les contours par la peinture soufflée est un geste ubiquiste. Dans certains contextes, il n'a pas plus de sens qu'un graffiti ou une signature ; nous en avons vu des exemples en Australie, où les significations des mains sont diverses. Cette explication ne vaut pas pour les grottes ornées, pour plusieurs raisons. Tout d'abord, ces mains négatives se trouvent souvent dans des lieux profonds et retirés (Trois-Frères), au bord d'un gouffre (Cosquer), dans un réduit spécial (le Sanctuaire des Mains de Gargas), ou encore en compositions complexes (Grande Paroi des Mains de Gargas), c'est-à-dire qu'elles ne répondent en aucune manière aux conditions que l'on attendrait de gestes casuels sans signification. Leur association étroite à d'autres thèmes de l'art pariétal, comme la présence parmi elles, à Gargas, de mains d'enfant, dont l'une dans une niche spéciale et l'autre, celle d'un bébé, tenue appliquée sur la paroi par une main d'adulte, permet d'écarter l'hypothèse d'actions occasionnelles, voire de signatures.

Nous ne sommes pas là dans n'importe quel milieu, lieu de passage ou lieu de vie, mais dans des grottes profondes ornées qui faisaient l'objet de rares incursions et dont la valeur spirituelle n'est plus à démontrer. Or, chez de nombreux peuples, la peinture n'était pas un simple matériau neutre, elle faisait l'objet de recherches et de préparations élaborées entourées de rites. On peut penser que, lorsque l'on posait la main sur la paroi et que l'on projetait sur elle la peinture sacrée, la main se fondait dans la roche dont elle prenait la même couleur, rouge ou noire, établissant concrètement un contact avec le monde des esprits (Clottes et Lewis-Williams 1996). Ce geste était un lien direct dont témoignait le fantôme de la main après la cérémonie. Il en fut sans doute de même pour les mains positives, lorsque la main couverte de peinture était appliquée sur la roche, ou encore pour la main d'enfant de la grotte Cosquer, imprimée en hauteur sur la surface molle de la paroi (fig. 18).

Comme toujours, nous devons en rester à une explication simple et basique et il est certain que bien des complexités nous échappent. Parfois dans les mêmes grottes (Gargas, Cosquer) et sans que nous sachions pourquoi, des mains négatives sont entières et d'autres ont les doigts incomplets selon diverses configurations (fig. 23). Trois explications distinctes ont été données pour ce phénomène intrigant.

La première fut qu'il s'agissait de mutilations rituelles, comme il en a existé en Australie ou ailleurs, à l'occasion de cérémonies d'initiation ou pour marquer un deuil. La seconde fit appel à des mutilations pathologiques (gelures[1], maladies qui provoquent la nécrose des extrémités, comme la maladie de Raynaud ou le syndrome d'Ainhum) (Sahly 1966). On ne saurait écarter d'emblée la possibilité d'amputations rituelles, si l'on considère les (très) rares cas de telles mutilations au Paléolithique supérieur. Il faut rappeler à ce propos la découverte du squelette féminin de Mursak-Koba en Crimée, celui d'une femme qui avait subi aux deux mains, dans son adolescence semble-t-il, l'ablation de la dernière phalange (phalangette) de l'auriculaire. Plus récemment, c'est en Pologne, que, dans la grotte d'Oblazowa, ont été découvertes, associées à divers objets dits cultuels, des phalanges de pouce (main gauche) résultant vraisemblablement d'amputations (Valde-Nowak 2003). Quant à l'hypothèse pathologique, après la découverte de Cosquer, on doit l'abandonner. Dans le cas contraire, il faudrait supposer en effet que des groupes humains distincts — puisque ce ne sont pas les mêmes mains dans les deux grottes — auraient contracté la même maladie ou subi les mêmes gelures sévères à des centaines de kilomètres de distance et dans des milieux très différents (Cosquer à Marseille, Gargas au cœur des Pyrénées) et

1. L'hypothèse de gelures ayant provoqué la perte de phalanges a été récemment reprise par Pilar Utrilla Miranda et Manuel Martínez Bea (Utrilla Miranda et Martínez Bea 2008, p. 123), à propos de Gargas et du froid qui régnait alors dans les Pyrénées, mais ces auteurs ont oublié et ne citent pas Cosquer, dans un contexte méditerranéen tout différent.

auraient réagi à l'identique, matérialisant leur infirmité avec les mêmes techniques au fond des grottes. Une telle hypothèse paraît peu plausible.

L'hypothèse la plus vraisemblable a été développée par André Leroi-Gourhan (Leroi-Gourhan 1967). D'après lui, il s'agirait d'un langage gestuel codé, comme le pratiquent tant de peuples chasseurs, où plier certains doigts transmet une information précise.[1] Utiliser ces codes, non seulement pour la chasse mais aussi pour s'adresser aux esprits, fait sens. En revanche, il n'est pas possible d'en connaître la signification, ni de savoir si les couleurs utilisées pour les mains, généralement le rouge ou le noir, avaient chacune un rôle particulier. Plusieurs chercheurs (par exemple Jean Courtin et Marc Groenen) ont vérifié expérimentalement que le pliage des doigts donnait des résultats analogues à ce que l'on constate sur les mains paléolithiques. Ils ont reconstitué tous les cas de figures connus, de sorte que la question paraît actuellement réglée.

CONTOURS INDÉTERMINÉS OU INACHEVÉS, TRACÉS DIGITÉS ET ATTOUCHEMENTS

Depuis la découverte de l'art pariétal, on connaît d'innombrables exemples de tracés sur les parois

1. Notons en passant que Leroi-Gourhan s'adonne dans ce cas, fût-ce brièvement (Leroi-Gourhan 1967, p. 122), à une comparaison ethnologique.

qui, pour nous, ne représentent rien. Ils sont de divers ordres, mais ils pourraient répondre à des intentions voisines, comparables à celles suggérées pour les mains. Pendant longtemps, ces vestiges modestes furent négligés, voire méprisés. L'abbé Breuil parla de « traits parasites » sur les panneaux où éclatait la splendeur des animaux figurés ou à leur voisinage.

André Leroi-Gourhan eut le mérite — une fois de plus — d'attirer l'attention sur ce qu'il appela « les contours inachevés », qu'il qualifia de « l'un des éléments les moins conformes aux traditions scientifiques de la préhistoire » (Leroi-Gourhan 1965, p. 127) et sur lesquels il insista en conséquence beaucoup. Il s'attacha à ces « surfaces qui ont été recouvertes de méandres, de faisceaux, de traits en “comètes”, de lignes de bâtonnets gravés, de figures d'animaux souvent très incomplètes, mais parfois très finement exécutées » (*Id.*, p. 125). Il dit qu'on les trouvait à toutes époques, en général au voisinage de la première grande composition, « comme si de nombreux individus, qui n'étaient pas forcément très doués pour la gravure, avaient superposé sur la seule surface disponible à proximité des grandes œuvres les reproductions du thème central ou de simples méandres » (*Id.*, p. 126). Il en tira la conclusion que ces tracés étaient « certainement lié[s] à la vie religieuse, à la conception même du sanctuaire », ce pourquoi il en parla dans son chapitre sur les rites : « Tous ces faits

(...) conduisent à l'idée de rites au cours desquels des figures du même ordre que celles qui décoraient les grandes parois, mais simplifiées et accumulées, étaient tracées, comme sur les plaquettes » (*Id.*, p. 128). Il n'alla pas plus loin et n'aborda pas la question, qui se pose de manière évidente, de la nature et du sens de ces rites, auxquels participaient des personnes autres que les grands artistes.

Les tracés digités résultent du passage des doigts sur une paroi ou une voûte dont la surface est suffisamment plastique (argile, mondmilch) pour que ces actions y laissent des traces indélébiles (fig. 24). Des animaux (La Clotilde) ou de vagues formes furent parfois dessinés par cette méthode aussi simple qu'élémentaire, que Leroi-Gourhan inclut dans les contours inachevés. Dans de très nombreuses grottes profondes, cependant, existent des panneaux entiers, occupant parfois des dizaines de mètres carrés, couverts de lignes droites ou courbes qui se recoupent et s'enchevêtrent sans que l'on puisse y distinguer un ordre quelconque ou la moindre représentation naturaliste.

Dans une logique progressiste qui faisait commencer l'art pariétal de manière fruste, avant son amélioration graduelle au fil des millénaires, Henri Breuil attribuait ces tracés ubiquistes au tout début de l'art, à son cycle aurignaco-périgordien (Breuil 1952, p. 22). Par la suite, on constata que, s'ils existaient bien lors des phases anciennes, par exemple dans le Gravettien (± 27 000 BP) de Gargas, des Trois-Frères ou de Cosquer, et peut-être dans la plus ancienne, c'est-à-dire dans l'Aurignacien (Baume-Latrone), sans toutefois la même ampleur ni la même certitude (La Clotilde), ils se trouvaient également en milieu solutréen (Las Chimeneas) et plus tardif, comme à Rouffignac, Covaciella ou Le Tuc d'Audoubert, où le contexte est uniquement magdalénien (± 14 000 BP). Il s'agit donc d'un geste simple qui s'est répété pendant la majeure partie du Paléolithique supérieur.

La répétition de ces tracés n'est ni fortuite ni insignifiante. Dans la grotte Cosquer, certains visiteurs ont grimpé dans des failles hautes pour passer leurs doigts sur la paroi au plus loin qu'ils pouvaient atteindre ou ont rampé dans des passages surbaissés pour en faire de même tout au fond. Tout se passe comme si leurs auteurs avaient voulu les réaliser aux limites du possible (Clottes, Courtin, Vanrell 2005a, p. 220-221). Ces conditions extrêmes permettent d'écarter l'hypothèse d'un geste machinal, comme cela aurait pu se produire à l'occasion.[1]

Un exemple particulièrement significatif est celui

1. Dans le Réseau Clastres, par exemple, à une époque indéterminée, car la grotte a subi des visites préhistoriques très postérieures à la réalisation des peintures, l'un des visiteurs a laissé traîner sa main sur quelques mètres de la paroi molle (Clottes et Simonnet 1990). Ce geste pourrait, dans ce cas précis, être casuel, sans grande signification.

de Rouffignac. Deux de nos collègues, le regretté Kevin Sharpe et Leslie Van Gelder, après avoir soigneusement étudié les tracés digités sur une voûte de cette caverne, en ont conclu qu'un enfant au moins avait été soulevé par un adulte pour en réaliser certains. Le processus fut relativement complexe, car l'adulte se déplaça sur plusieurs mètres pendant que l'enfant marquait la surface du plafond. Il ne s'agissait pas simplement de faire des dessins n'importe où, comme l'ont bien indiqué les auteurs : « Pourquoi les adultes présents (et certains l'étaient puisque la largeur des tracés l'indique) n'ont-ils pas dessiné au plafond sans utiliser les enfants ? Les plus jeunes auraient pu dessiner là où ils le pouvaient et les plus âgés auraient pu marquer non seulement ces zones mais aussi celles hors d'atteinte des plus jeunes. Mais ici, ils ont parfois porté les enfants pour tracer. Pourquoi ? Plus loin, les parties basses des parois que les enfants pouvaient aisément marquer seuls sont vierges ». En outre, « ceux qui portaient les enfants ne marchaient pas toujours, mais tournaient en faisant bouger leurs hanches ou imprimaient un mouvement à tout leur corps comme lors d'une danse » (Sharpe et Van Gelder 2004, p. 16). Il s'agissait donc bien d'un rite, en un lieu et sur une surface déterminés, auquel on souhaitait faire participer les enfants.

Enfin, dans certains cas, sans doute beaucoup plus nombreux qu'on ne le croirait à présent, faute de recherches spécifiques, des rites d'attouchement des parois ont eu lieu. Le premier exemple signalé, à ma connaissance, est celui de Cougnac (Lot). Dès après la découverte de cette grotte dont l'entrée était colmatée depuis des millénaires, Louis Méroc et Jean Mazet insistèrent sur la présence d'empreintes de doigts rouges et noirs, surtout géminés, apposées sur la paroi (fig. 25) (Méroc et Mazet 1956, p. 46-47). Plus tard, Michel Lorblanchet fit analyser le pigment d'une large tache de peinture au sol et celui utilisé pour les traces rouges sur les parois, ce qui confirma leur identité. Il en déduisit ceci : « Tout semble indiquer que les visiteurs préhistoriques trempaient leurs mains dans l'amas d'ocre rouge existant sur le sol, à l'entrée de la salle, et qu'ils touchaient ensuite la paroi ornée en de nombreux endroits en appuyant le bout des doigts sur les figures et les concrétions qui les entouraient. Souvent aussi ils frottaient simplement leurs mains peintes contre les aspérités calcaires où ils laissaient des traces diffuses » (Lorblanchet 1990, p. 96). Deux analyses radiocarbones concordantes, autour de 14 000 BP pour des traces de doigts noires, faites au charbon, ont daté ces gestes du Magdalénien, alors que les premiers dessins étaient attribués au Gravettien. « Quelque dix millénaires plus tard, la paroi de Cougnac continuait à être utilisée rituellement » (Lorblanchet 1994, p. 240).

Autre exemple remarquable, celui de la grotte Chauvet. Dans la Salle du Fond, avec Marc Azéma, lorsque nous avons relevé le panneau de droite, nous avons constaté de multiples traces d'attouchements qui prennent d'ailleurs la forme, à l'occasion, de tracés digités (fig. 26). Les superpositions observées montrent que certaines de ces traces sont antérieures aux animaux, alors que d'autres leur sont postérieures. Il faut donc croire que ces gestes (passages des doigts sur la paroi) ont accompagné de près la réalisation des dessins. Ces marques superficielles, visibles en lumière frisante, n'ont jamais dû être très apparentes. Elles diffèrent en cela des tracés digitaux classiques, tels que ceux de Gargas ou de Rouffignac. Plutôt que de TRACÉS, il s'agit donc bien de TRACES, celles d'actions délibérées, répétées, mais finalement peu nombreuses. Dans ce cas, l'action elle-même importe, non le résultat, puisque celui-ci reste peu visible. Seule la conjonction d'une paroi qui s'y prêtait et son excellente conservation nous ont permis de les remarquer et de les étudier. D'autres existent sur divers panneaux de la grotte Chauvet. Ce ne sont pas des ébauches de dessins ou des esquisses avortées, comme les contours inachevés cités. En revanche, ces traces témoignent d'une indiscutable volonté de prendre un contact direct, à travers la main, avec la surface de la roche.

Des pratiques semblables existent partout dans le monde, en contextes magico-religieux, quelles que soient les religions considérées.[1] Toucher la paroi ou la marquer, fût-ce de manière partielle ou modeste, établit une relation forte entre la personne et la roche ou les pouvoirs que celle-ci est censée recéler. Cela pouvait avoir pour but de capter une parcelle de puissance surnaturelle, ou encore de tester l'accessibilité (non pas physique mais spirituelle) de la paroi au dessin (la roche accepterait-elle le dessin projeté ou la personne qui souhaitait le faire ?). Nous ne connaîtrons jamais les détails, mais ces traces nous montrent la complexité des processus. Outre peintures et gravures, l'acte de dessiner dans les grottes profondes et sans doute en d'autres contextes s'accompagnait à l'évidence de toutes sortes de gestes, dont des attouchements répétés des parois sous des formes diverses (Azéma et Clottes 2008).

LES OS PLANTÉS ET LES DÉPÔTS

Dans la grotte d'Enlène (Montesquieu-Avantès, Ariège), de nombreux ossements (esquilles, frag-

1. J'en ai eu quelques exemples vécus. Étant à Séville juste après la Semaine Sainte, je fus visiter des églises où, pendant un mois, on exposait les énormes palanquins surmontés d'une statue de la Vierge, qui font l'orgueil des diverses confréries et que l'on parade dans les étroites rues de la ville. Devant l'un d'eux, une vieille dame aveugle, munie de sa canne blanche, était conduite par sa fille, qui lui murmura à l'oreille lorsqu'elles arrivèrent tout près du monument. La vieille dame étendit la main, caressa le bois du palanquin, puis se passa soigneusement la main sur les yeux. L'intention était évidente.

ments de côtes, cornillons, deux pointes de sagaies) furent fichés en force dans les fissures des parois, à diverses hauteurs, entre 0,60 mètre et 2,20 mètres par rapport au niveau actuel du sol, apparemment sans aucun ordre : les fissures intéressées peuvent être horizontales, verticales ou plus ou moins obliques ; certaines se recoupent. Les os ne dépassent guère l'ouverture de la fissure. Leurs extrémités extérieures sont cassées et les fractures sont anciennes. Les premières observations de ce phénomène sont dues à Robert Bégouën. Nous commençâmes ensemble à l'étudier (Bégouën et Clottes 1981 ; Bégouën *et al.* 1995) et je continuai à l'approfondir grâce à des découvertes dans d'autres grottes (Clottes 2007a, 2009).

La grotte d'Enlène reste celle où on a découvert le plus grand nombre d'esquilles fichées. Leur recensement systématique a révélé une certaine ubiquité, puisqu'on les retrouve un peu partout, mais avec des concentrations différentes. Les zones les plus denses se trouvent dans la Salle des Morts, juste au-dessus de l'étroite galerie qui donne accès aux Trois-Frères, dans une partie du couloir entre la Salle des Morts et la Salle du Fond, dans la Salle du Fond elle-même, et enfin dans une zone à peintures découverte à l'extrémité de cette dernière, c'est-à-dire dans une portion de la grotte inhabitée au Magdalénien mais qui a revêtu une importance certaine. En effet, bien que toute la paroi de cette zone comporte des fissures, les os plantés ne le furent que près des peintures. Jusqu'à cinq ou six os ont été fichés côte à côte, dans dix fissures distinctes (fig. 27). Au-dessus d'une zone faiblement colorée de rouge, trois incisives (deux de renne, une de boviné) furent déposées côte à côte dans une anfractuosité de la paroi, à 1,50 mètre du sol. Ce fond de grotte distinct de l'habitat a donc joué un rôle spécial, puisque nous y avons constaté deux séries de traits rouges indubitables, un badigeonnage en rouge de certains reliefs rocheux, la pulvérisation de peinture sur les parois, un dépôt de dents et des fissures à nombreuses esquilles fichées (Bégouën *et al.* 1995).

Le caractère délibéré de ces dépôts est indiscutable. Il ne peut en aucun cas s'agir d'un phénomène naturel tel que des inondations ou tout autre cause géologique ou accidentelle. Nous avons envisagé l'hypothèse d'une raison « pratique », comme support de fils ou de liens, mais il a fallu l'écarter, le caractère anarchique de leur répartition la rendant impossible : par exemple, nombre d'esquilles plantées dans des fissures sont en dévers, ou cachées dans un repli de la roche avec des angles morts : elles n'auraient donc pu servir à maintenir quoi que ce soit.

Dans la Salle des Morts, nous avons mis au jour un os fiché verticalement dans le sol. Dans la Salle du Fond (entrée et extrémité antérieure), ce sont cinquante-neuf objets qui, au cours de nos fouilles, furent trouvés dans cette position, en deux groupes séparés, chacun ayant des caractéristiques distinctives. Ces objets furent plantés au moment de la première occupation de la grotte au Magdalénien moyen. Ils disparaissaient complètement dans le sol ou n'en dépassaient qu'à peine, quelle que fût leur taille. Ce qui comptait, c'était de les enfoncer au maximum.

Aucune explication fonctionnelle ou naturelle ne rend compte des faits établis. Ces objets ne sont pas venus là par accident : ils étaient en grande majorité verticaux, profondément plantés dans un sol argileux compact, non remanié, dont la nature n'a pas varié depuis le Magdalénien. Cela exclut toute possibilité de mise en place fortuite par des piétinements ou de très hypothétiques arrivées d'eau ou de sédiments. S'ils avaient été destinés à maintenir quelque chose au sol (peau, lien ou attache quelconque), l'on s'attendrait à les voir cerner un espace précis. Ce n'est pas le cas : leur répartition, dans les zones où ils se trouvent, est diffuse, ce qui rend peu vraisemblable l'hypothèse d'une délimitation spatiale symbolique. En outre, s'il s'agissait de sortes de piquets, leur taille ne devrait pas être inférieure à certaines limites. Or trois dents travaillées à des degrés divers font partie du lot, qui comprend aussi un burin et une plaquette de grès, et l'une de ces dents, percée, était dressée la racine vers le haut et ne pouvait donc maintenir quoi que ce soit au sol. Enfin, un ramassage aléatoire destiné à récupérer des matériaux pour un usage utilitaire ne donnerait en aucun cas l'ensemble constaté, avec des sagaies décorées par exemple (Bégouën *et al.* 1995). Il s'agissait donc d'objets délibérément choisis pour être plantés dans le sol dont ils dépassaient à peine.

Des observations du même ordre ont été faites au Portel, à Montespan, à Fontanet et à Labastide, ainsi qu'à la grotte Chauvet, où deux humérus d'ours des cavernes ont été plantés dans le sol sur la moitié de leur hauteur, à une dizaine de mètres l'un de l'autre, dans la zone de l'entrée paléolithique.

Quant aux fragments d'os ou de silex plantés dans les parois, on les trouve dans bon nombre de cavernes ornées pyrénéennes (Bédeilhac, Le Tuc d'Audoubert, Enlène, Montespan, Troubat, Labastide, Gargas, Isturitz, Erberua), ainsi que dans des grottes de Dordogne (Lascaux, Bernifal, Le Pigeonnier), du Lot (Sainte-Eulalie et Les Fieux), de Bourgogne (Arcy-sur-Cure), de l'Aveyron (Foissac), du Pays Basque espagnol (Altxerri, Ekain), des Cantabres (La Garma, La Pasiega) et des Asturies (Llonín).

Le phénomène a eu une très longue durée, treize à quatorze mille ans au moins. Les esquilles de Gargas étant étroitement associées aux mains négatives de cette grotte, la date de 26 800 ± 460 BP pour l'une d'elles est logique. Cette date gravettienne a été corroborée par la découverte d'une esquille osseuse également associée aux mains négatives de la grotte des Fieux (Miers). Un os fiché de Brassempouy pourrait également être très ancien, de même que ceux de Foissac. Des dates magdaléniennes sont certaines pour la plupart des grottes pyrénéennes (Enlène, Le Tuc d'Audoubert, Labastide, Montespan, etc.), ainsi que pour Sainte-Eulalie dans le Lot. La découverte de Troubat (Hautes-Pyrénées) conforte la perduration de cette coutume jusqu'à la fin du Magdalénien.

Pendant de très nombreux millénaires, les Paléolithiques ont donc accompli ces gestes semblables dans un bon nombre de grottes ornées de France et d'Espagne (Clottes 2007a, 2009).

L'art dc toutes les grottes ornées résulte de pratiques magico-religieuses. Le consensus quasi général à ce sujet explique qu'elles soient si souvent qualifiées de « sanctuaires ». Ces pratiques ne se sont pas limitées aux dessins pariétaux et certaines ont obligatoirement laissé des traces. Il appartient aux spécialistes d'essayer de les repérer. Ce travail est tout autant « archéologique » et indispensable que la fouille, la datation des vestiges mobiliers et pariétaux, leur description précise et leur interprétation. Y renoncer serait aussi aberrant et injustifié que de décider de n'étudier que les peintures et non les gravures, le mobilier osseux et non le lithique. En bonne méthodologie, on ne pourra envisager des actions de type magique, religieux ou rituel que pour les faits qui échappent — pour nous — à toute explication fonctionnelle possible. Or les objets cités ne sont réductibles à aucune explication fonctionnelle au sens où nous l'entendons[1] ou naturelle. Leur nombre et les conditions de leur dépôt font écarter toute idée d'objets perdus ou oubliés au hasard des pérégrinations, d'apports par l'eau ou par des animaux, de gestes casuels, de supports de liens, ou encore d'outils ayant servi localement. D'ailleurs, dans tous les cas où ces découvertes ont été effectuées, il s'agit de grottes ornées et non de simples habitats, et les os, silex et autres objets lithiques et osseux déposés ou plantés le furent souvent en liaison directe avec des œuvres pariétales. Un geste spécial a donc été effectué dans des lieux très particuliers.

Les observations et les témoignages sur des pratiques semblables, dans le monde entier et dans des contextes très divers, sont nombreux. La motivation de base est la volonté d'aller au-delà du monde quotidien, de percer le voile de la réalité physique, et d'accéder, sous une forme ou sous une autre, aux forces surnaturelles, soit par une offrande — fût-elle symbolique — soit en les touchant directement. Très fréquemment, par exemple, lorsque des juifs orthodoxes vont prier devant le Mur des Lamentations, à Jérusalem, et y déposent des papiers roulés avec leurs suppliques dans les interstices des pierres, ils franchissent un degré dans l'approche de la divinité en un lieu perçu comme sacré.

1. Il est clair, en effet, que, pour ceux qui les accomplirent, ils remplissaient une fonction pratique dans le cadre de leur rituel.

Autre exemple, qui concerne une grotte et un lieu sacré. Dans les années quatre-vingt, en tant que directeur des Antiquités préhistoriques de Midi-Pyrénées, j'eus à intervenir à Lourdes pour faciliter une fouille de sauvetage urgent avant travaux sur le périmètre appartenant à l'Œuvre de la Grotte. À cette occasion, mon collègue André Clot attira mon attention sur une petite cavité appartenant au même système karstique que la célèbre grotte de Massabielle, où Bernadette Soubirous eut la vision de la Vierge, mais distante d'elle de quelques centaines de mètres, à l'écart des lieux normalement fréquentés par les millions de pèlerins. Sur l'un des côtés de cette petite grotte, un trou naturel, d'une contenance d'environ un demi-mètre cube, avait été rempli aux deux tiers d'offrandes et de dépôts divers : lunettes, portefeuilles, pièces, messages. Dans ce cas, c'est le milieu souterrain, sanctifié par son voisinage avec la grotte miraculeuse, qui fut et est toujours considéré comme un lieu de passage chargé de pouvoir. Ces dépôts « païens » furent effectués, est-il besoin de le préciser, en dehors de la sanction et même de la connaissance des autorités ecclésiastiques en charge des lieux…

J'ai raconté l'histoire de la cérémonie propitiatoire, au cours de laquelle, en 1991, en Californie, notre guide Indien nous demanda de déposer des brins de tabac natif dans les fentes de la paroi sous certaines peintures. Dix ans plus tard, cette fois dans le nord-est des États-Unis, dans le Montana, à Arrow Rock, je vis des piécettes, de petites perles de pacotille, des cigarettes ou des pierres plus ou moins polies, placées dans les fissures d'une paroi rocheuse, à l'intérieur de laquelle les esprits, appelés Little People, étaient censés résider.

Les dépôts d'objets divers dans les anfractuosités de la roche au fond des grottes ornées se rapprochent à l'évidence des exemples cités. Si l'idée de base — le contact recherché avec le monde-autre — ne semble guère faire de doute, elle peut se décliner de deux manières, compte tenu de la nature des objets et de la manière dont ils furent traités : le dépôt pour certains, le fichage dans les parois et les sols pour d'autres. Avec le dépôt d'offrandes, si mineures et symboliques fussent-elles, on établit un lien à sens unique, de notre monde vers l'autre, sans en escompter un retour immédiat, si ce n'est quelque bienfait, une protection ou une impunité pendant le temps où l'on se trouve sur les lieux, voire après. C'est le témoignage d'une allégeance, d'une politesse ou d'un échange.

Planter des objets dans les fissures ou dans les sols pourrait constituer un acte d'une portée voisine mais un peu différente. Dans ce cas, en effet, on perçait délibérément le voile qui séparait le monde des vivants et celui des puissances occultes (Lewis-Williams et Dowson 1990)[1]. Ce n'était pas

1. On doit à Lewis-Williams et Dowson cette métaphore du voile, à propos des peintures San du sud de l'Afrique.

l'objet lui-même qui avait alors de l'importance, mais plutôt le geste, la volonté d'entrer en contact avec le pouvoir caché au sein de la roche ou dans les sols et d'en capter une parcelle pour régler certains problèmes éternels de la vie (maladie, chance, acquisition de la nourriture, etc.). C'étaient peut-être des individus non initiés, des malades ou des enfants, qui participaient à leur façon au rituel.

La pérennité de ces gestes tout au long du Paléolithique supérieur renforce le sentiment profond d'unité qu'inspire l'art pariétal européen.

UTILISER CE QUI SE TROUVAIT DANS LA GROTTE

Il était inévitable, compte tenu de tout ce qui précède, que ceux qui fréquentèrent les profondeurs des grottes aient souhaité tirer parti de ce qui s'y trouvait et sans doute le firent-ils à l'occasion sans que leurs actions aient nécessairement laissé des indices discernables pour nous.

Dans certains cas, cependant, nous avons la preuve de certains prélèvements. Dès la découverte du Tuc d'Audoubert, en 1912, les jeunes découvreurs et leur père, le comte Henri Bégouën, remarquèrent qu'un certain nombre de crânes d'ours des cavernes, dont les ossements jonchaient les sols, avaient été dépouillés de leurs canines. L'un d'eux fut même brisé sur un mamelon stalagmitique pour mieux les récupérer. Ils en déduisirent que cette collecte avait pour but de se fournir à bon compte en éléments de parure particulièrement spectaculaires (Bégouën 1912, p. 659). Il fut toutefois impossible, alors et depuis, de vérifier si d'autres ossements avaient été emportés. Pour les canines, c'est une certitude, pour d'autres os du squelette nous n'en savons rien. En tout cas, l'interprétation d'une récolte d'objets de parure n'est qu'une hypothèse, parmi d'autres possibles (talismans protecteurs, utilisation médicinale).

Lors des premières visites que fit Jean Courtin dans la grotte Cosquer, il remarqua que de vastes surfaces des plafonds accessibles et des parois avaient été raclées, souvent assez profondément. Or au pied des zones concernées subsistait très peu de la matière blanche dont les parois sont faites. Cela signifiait que la poudre récupérée avait été sortie de la grotte. L'hypothèse que nous avançâmes alors, non sans perplexité, fut celle de peintures corporelles ou d'usages domestiques divers (Clottes et Courtin 1994, p. 60).

Près d'une décennie plus tard, je remarquai que, dans la même grotte, des stalactites et stalagmites avaient été cassées en de nombreux endroits. Il ne s'agissait ni d'un vandalisme gratuit ni d'une destruction visant à faciliter le passage d'un endroit à un autre, car la plupart se trouvaient en des lieux où elles ne gênaient pas. Nous avons alors soigneusement examiné les concrétions situées dans des parties hautes de la caverne, galeries restées inaccessibles aux préhistoriques et dépourvues de toutes traces ainsi que de charbons : ces concrétions ne furent jamais brisées. Cela prouvait que les cassures constatées ne pouvaient pas avoir eu des causes naturelles, telles que des tremblements de terre, car dans ce cas d'autres concrétions de la grotte en auraient subi les effets. En très grande majorité, enfin, les extrémités cassées ne furent pas retrouvées. Ces spéléothèmes, tout comme le mondmilch, avaient donc été délibérément cassés, récoltés et sortis de la grotte.

Nous fîmes alors des recherches sur l'emploi de concrétions ou de mondmilch.[1] Les utilisations les plus anciennes, après qu'on les eut broyées et réduites en poudre, se trouvent dans la pharmacopée chinoise, pour des stalactites et stalagmites, aux IVe et Ier siècles avant notre ère. Encore au XIXe siècle en Chine et au XVIIIe en Europe (y compris pour le mondmilch), on en faisait usage pour toutes sortes de maladies et de traitements : favoriser la sudation lors de fièvres, traiter les maladies du cœur (avec des régimes pauvres en calcium), arrêter les saignements et les diarrhées, soulager la toux, favoriser la lactation des nourrices, ressouder les membres cassés, assécher les abcès et guérir ulcères et

1. Shaw, *in* Hill et Forti 1997 : « *The speleothems used in pharmacy were two — moonmilk (or mondmilch) and crushed stalactites.* » (p. 28).

blessures. De nos jours, le carbonate de calcium ($CaCO_3$) est employé contre l'ostéoporose (en conjonction avec la vitamine D), pour aider à la régénération osseuse et pour les problèmes de croissance, pour les femmes enceintes et celles qui allaitent, contre la fatigue, etc.

Ce rôle prophylactique ne se limite pas au calcium qui constitue la majeure partie des spéléothèmes. Une révision récente très argumentée d'activités d'extraction d'argile constatées dans les grottes mayas aboutit à la conclusion qu'en de nombreux cas, « l'argile extraite a pu être utilisée lors de rites impliquant la géophagie, c'est-à-dire la consommation de terre ». D'ailleurs, au Guatemala et dans ces régions, « le rôle médicinal de l'argile est reconnu par les habitants actuels et on la mange pour guérir la diarrhée » ; on la donne aussi aux femmes enceintes. Les auteurs concluent que « les grottes étant associées à la maladie et à la guérison, il est logique que les argiles des cavernes aient été recherchées dans des buts médicinaux » (Brady et Rissolo 2005).

Plus de vingt millénaires antérieurement, une attitude semblable avait dû prévaloir à Cosquer. Là, dans les profondeurs de la caverne, des hommes ou des femmes ont raclé la poudre des parois et emporté des morceaux de concrétions, sans doute parce qu'ils croyaient que ces matières minérales étaient porteuses de pouvoir surnaturel. Le fait que cataplasmes et médicaments réussissaient dans certains cas n'a pas pu passer inaperçu, ce qui explique sans doute la pérennité de cette pratique. Il se peut que, dans la grotte Cosquer, associés à un art pariétal abondant, nous ayons donc les premiers exemples concrets dans l'histoire du monde de l'utilisation de certains médicaments spécifiques (Clottes, Courtin, Vanrell 2005a et b).

Depuis nos découvertes, nous avons trouvé ou l'on nous a signalé d'autres exemples de bris de concrétions dans des grottes ornées avec disparition des fragments (Gargas, Cougnac, Hornos de la Peña, Las Monedas, El Castillo). Il est probable que bien d'autres sont restés encore inaperçus.

ATTITUDES VIS-À-VIS DES ANIMAUX

Dans le Masai Mara, au Kenya, j'ai vu une antilope accoucher tout en marchant, pendant qu'une autre femelle tournait autour d'elle pour la protéger ou pour leurrer d'éventuels prédateurs attirés par l'événement. Pendant la migration annuelle des gnous, j'ai eu la bonne fortune de les observer pendant qu'ils franchissaient une rivière, dans d'immenses éclaboussements lorsqu'ils se jetaient à l'eau pour traverser le cours d'eau le plus vite possible à cause des crocodiles. Des babouins en groupe, avant de se risquer dans un espace découvert, observaient, reculaient, prenaient toutes sortes de précautions. Ils avaient l'air bien vulnérables... Il m'est arrivé d'être poursuivi par un buffle et un autre jour, m'étant aventuré à pied en brousse, dans un endroit dégagé et apparemment sans danger, j'ai aperçu de loin (heureusement...), avant de battre prudemment en retraite, une lionne qui suivait des girafes. Imaginer ces situations est presque banal, mais il faut avoir été le témoin ou l'acteur involontaire de telles expériences, fréquentes et triviales dans ce milieu sauvage, pour réaliser et ressentir à quel point nos ancêtres paléolithiques devaient à chaque instant être attentifs aux animaux qui les entouraient, à leur apparence et à leurs actions, qu'ils fussent prédateurs ou proies potentielles.

Ces conditions, qui furent les leurs pendant des millions d'années, modelèrent non seulement leurs comportements mais leurs manières de penser, de concevoir les animaux et leur rôle dans le monde. De sorte que, selon des spécialistes, « les animaux [...] sont indissolublement associés à l'évolution du cerveau humain, au point que l'enregistrement de formes animales en est, semble-t-il, venu à occuper une zone particulière du cortex visuel » (Hodgson 2008, p. 345)[1], évolution logique puisque les

1. « *animals [...] were integral to the evolution of the human brain to the extent that the encoding of animal forms seems to have become a dedicated domain of the visual cortex* ».

apercevoir et les reconnaître était une condition essentielle de la survie. Les animaux font partie intégrante des humains, à plus forte raison lorsqu'il s'agit de chasseurs-cueilleurs. Cette donnée de base soit rester présente à l'esprit lorsque nous considérons l'art paléolithique et les concepts qui l'inspirèrent et que nous essayons de retrouver à travers son étude.

Dans la « magie de la chasse » de l'abbé Breuil et du comte Bégouën, les animaux étaient essentiellement des proies, qu'il fallait s'approprier par des rites adéquats. « C'est en effet, dans un but d'envoûtement que l'homme paléolithique représentait les animaux qu'il allait chasser » (Bégouën 1924, p. 423). Magie de la chasse pour les animaux dont il se nourrissait, magie de la fertilité pour les faire se reproduire en abondance et magie de la destruction pour les animaux dangereux, nous avons vu (chapitre I) qu'il s'agissait explicitement de les contraindre par la puissance de l'image.

De fait, les relations des peuples chasseurs avec les animaux sont beaucoup plus complexes. Nombreux sont ceux, dans les cultures indiennes nord-américaines, par exemple, chez qui existe un Maître des Animaux, qui les protège et dont la permission est nécessaire pour pouvoir les chasser. Les animaux eux-mêmes peuvent se régénérer après la mort, ce qui assure leur pérennité et de possibles chasses futures (Garfinkel *et al.* 2009 p. 186). Les rites ont pour but d'obtenir qu'un animal accepte sa propre mort pour la survie du groupe d'humains, ses frères. Le gibier s'offre librement au chasseur et il se donne (Amériques, Sibérie). On fait des contre-dons en échange : « Aucun don ne va sans contre-don » (Testart 1993, p. 59). On doit montrer du respect aux animaux que l'on pêche ou que l'on chasse. Le respect qu'on lui témoignera contribuera à sa renaissance et à la persistance de son aide bienveillante. Dans ces cas, nous sommes loin des contraintes magiques imposées par l'homme dominateur et au centre de tout.

Nous avons vu que certaines des croyances fondamentales attestées dans le monde entier, et particulièrement dans les cultures chamaniques, impliquaient une interconnexion des espèces, y compris entre les humains et les animaux en raison de la profonde affinité qui les unit. Ainsi, à propos du vocabulaire chamanique des peuples du Groenland, Joëlle Robert-Lamblin indique que « L'enfant de l'homme est désigné par le même terme que le petit du chien ou du phoque barbu, ceci rappelant l'identité existante entre le monde humain et le monde animal dans la mythologie et les croyances » (Robert-Lamblin 1996, p. 127).

Chez les Amérindiens, l'homme, « au sein, et non au-dessus de la Nature [...] n'élabore donc pas, en toute logique, de dieux anthropomorphes » (François et Lennartz 2007, p. 82). On comprend mieux alors la prédominance absolue des animaux dans l'art paléolithique. C'étaient eux qui incarnaient les esprits régissant les forces de l'univers, c'était d'eux dont on dépendait non seulement physiquement, pour la nourriture et la survie, mais — et peut-être surtout — spirituellement, pour assurer la santé, l'équilibre et l'harmonie de la vie sous tous ses aspects.

On comprend aussi la présence dans l'art d'animaux composites, qui unissent en un même corps les caractéristiques d'espèces différentes, comme celles du cheval et du bison (Cosquer, Cussac), ou celles d'animaux fantastiques dotés d'attributs irréalistes (la Licorne de Lascaux) ou aux corps bizarrement déformés (Le Tuc d'Audoubert, Le Portel). Les créatures composites, à la fois hommes et animaux (Les Trois-Frères, Gabillou, Cosquer, Lascaux, Pech-Merle, Cougnac, Hornos de la Peña, Candamo, Los Casares), répondent à la même conception d'un monde où les animaux sont nos égaux, nos frères et parfois nos dieux.

Les animaux seront dotés de vertus et de pouvoirs spéciaux, souvent attribués en fonction de relations perçues ou supposées avec certains phénomènes. Par exemple, dans la mythologie zuni (Arizona), les amphibiens et autres « sont des êtres de l'eau, vrais et métaphoriques. Non seulement ils vivent dans ou près de l'eau, mais leur image sert lors des rituels à apporter l'eau aux Zunis sous forme de pluie » (Young 1992, p. 125-126). Quant à l'éland du Cap, il est tout en haut de la hiérarchie des animaux-esprits pour les San du sud de l'Afrique et il joue un rôle vital afin d'assurer la fertilité et faire, lui aussi, venir la pluie. Il est considéré comme chargé de pouvoir(s) et, en conséquence, les abris sous roches ornés de nombreuses images d'élands étaient de véritables réservoirs de puissance surnaturelle (Lewis-Williams et Pearce 2004, p. 156).

On peut penser qu'il en était de même des grottes et abris ornés du Paléolithique et que les animaux dessinés possédaient eux aussi des pouvoirs particuliers et étaient le support et les héros de mythes. Nous allons en voir quelques exemples. Quant à leur hiérarchie, elle a pu varier dans le temps et dans l'espace, puisque nous savons que les animaux majoritairement représentés à l'Aurignacien (les plus redoutables et les moins chassés) différaient de ceux des époques postérieures, alors que certaines espèces sont plus fréquentes dans l'art de certaines régions que dans d'autres.

Ce rôle primordial des animaux explique à l'évidence le faible nombre de représentations d'humains. Dans le monde paléolithique, ces derniers n'étaient pas au centre de la scène. Parfois, certains s'étonnent aussi de l'absence de cadre naturel, puisque ni paysages ni arbres ni astres ne sont représentés, du moins d'une manière immédiatement compréhensible pour nous. L'art paléolithique n'était pas un art descriptif qui aurait donné une photographie précise et complète du cadre de vie des humains. Il racontait des histoires et il était chargé du pouvoir essentiellement attribué à certains animaux.

En revanche, de nombreux symboles, ce que nous appelons les signes géométriques, sont associés à ces derniers. Les spécialistes ont successivement voulu y voir des stylisations d'armes de chasse, puis des symboles à valeur sexuelle, féminine ou masculine, et enfin des signes entoptiques, tels qu'on les perçoit dans la transe (Lewis-Williams et Dowson 1988 ; Clottes et Lewis-Williams 1996). En fait, nous ne savons rien de leur signification exacte, si ce n'est qu'ils sont trop nombreux et trop répétés pour ne pas avoir un sens et un rôle précis.

Mais venons-en aux mythes.

LES MYTHES PALÉOLITHIQUES

Toute religion a ses mythes qui traduisent, de façon imagée et narrative, les croyances du groupe et l'interprétation qu'il s'est forgée du monde, naturel et surnaturel, dans lequel il se trouve. Il est donc inévitable que les cultures du Paléolithique supérieur non seulement aient eu leurs mythes mais qu'elles les aient transcrits, sous une forme ou sous une autre, dans leur art pariétal et mobilier (Clottes 2010b). On peut même aller plus loin et affirmer que la plupart des représentations pariétales sont le support de mythes ou ont été créées dans le cadre d'histoires traditionnelles mythiques, comme c'est le cas des images présentes dans des églises chrétiennes ou des temples hindous.

Les mythes ont des rôles divers. Parmi leur multiplicité et leur complexité — pour en avoir une idée, cf. Testart 1991 — nous en distinguerons trois principaux, évidemment liés les uns aux autres et que l'on ne sépare que pour la commodité du discours.

LEUR PREMIER RÔLE, MAJEUR ET FONDATEUR, EST EXPLICATIF. Confrontés à des phénomènes naturels mystérieux et incompréhensibles, les humains ont toujours cherché à les interpréter. Le propre de l'homme (*Homo spiritualis* au sens large), au-delà des contingences matérielles de la survie qu'il partage avec les autres animaux, est de pouvoir se projeter dans le passé et l'avenir, de se poser des questions sur lui-même et sur le monde qui l'entoure, de chercher à en élucider les mystères et à en tirer parti.

C'est pourquoi il existe tant de mythes qui répondent à ces besoins. Parmi les plus fréquents, les mythes créateurs portent sur les origines du monde. Ils détaillent les diverses étapes de la création, par des dieux, des esprits, sous quelque forme que ce soit, ou des êtres venus d'ailleurs, et des événements successifs qui conditionnent souvent les relations ultérieures entre humains, ainsi qu'avec les forces physiques de la nature ou avec les animaux. L'élaboration de mythes relatifs à la création du milieu où l'on se trouve est un processus qui fait partie des universaux de la pensée humaine. Ces mythes sont d'une variété infinie, avec parfois des constantes. Ainsi, en Amérique du Nord, le cosmos comprend un certain nombre de mondes superposés et le peuple concerné passe de l'un à l'autre au cours d'une longue quête, conquérant peu à peu son humanité et progressant au fil des temps. Il est aidé en cela par des héros mythiques, des animaux, des esprits. Leur aide et leur rôle sont narrés dans les histoires sacrées (Brody 1990, p. 67). Tous ces éléments sont susceptibles de trouver leur place dans l'art. Par exemple, pour les Mojave et les Quechan, les géoglyphes de Blythe, à la limite de la Californie et de l'Arizona, commémorent la création du monde par la divinité appelée Mastamho (Whitley 1996, p. 124-126). D'autres mythes expliquent des phénomènes naturels spectaculaires ou catastrophiques (orages et foudre, éruptions volcaniques, pluies diluviennes, inondations et changements climatiques [mythe du Déluge], etc.), ainsi que leurs causes, les moyens d'éviter le pire ou encore leurs conséquences. Beaucoup ont trait aux animaux, à leur rôle, à leur importance, à leurs relations avec les humains et avec la nature.

L'apparition de l'homme sur terre et ses péripéties (mythes du Paradis terrestre, d'Adam et Ève, de Caïn et Abel, de la tentation par le serpent, dans la religion chrétienne) fait partie des mythes créateurs. Les interactions des humains entre eux et les complexes notions de statuts, de rôles propres, d'alliances, de tabous, de séparations ou d'hostilité, tant à l'intérieur du groupe qu'avec des groupes autres, résulteront souvent d'histoires mythiques, que les Aborigènes australiens, par exemple, situent dans le Temps du Rêve.

Nous en venons ainsi au second aspect majeur des mythes : *leur rôle social à l'intérieur du groupe*. Les mythes sont non seulement essentiels à l'identité du groupe dont ils pérennisent l'histoire avec ses péripéties, mais ils sont constitutifs de son identité, à plus forte raison dans les cultures de tradition orale, comme nous l'avons vu avec les fresques de l'église de Zuni (chapitre II).

Autre rôle social important : un récit à connotation morale, qui rappelle, par exemple, une conduite fautive et ses conséquences. Ainsi, dans l'extrême nord-est de l'Australie (région de Laura), un abri orné présente deux images de femmes. L'une a la jambe repliée pour que son talon masque ses parties génitales lorsqu'elle s'asseoit, l'autre a négligemment placé son talon à quelques centimètres du sexe, visible à tous. La coupable, appelée Gen-Gen, me dit Percy Trezise lorsqu'il me conduisit à cet abri, récidiva, bien qu'un ancien l'eût avertie en mettant sa main devant ses yeux et en s'exclamant : « *Oh, my eye, my eye !* » pour exprimer sa désapprobation. Il répéta son avertissement plusieurs fois, en vain. Finalement, elle séduisit son gendre, commettant ainsi une infraction à l'un des tabous sexuels aborigènes les plus puissants. Elle subit en conséquence la malédiction des Anciens et en mourut peu après. Son histoire est un rappel des tabous et un avertissement aux coquettes éventuelles.

Enfin et c'est leur troisième rôle majeur, *les mythes et les images qui les concrétisent peuvent être par eux-mêmes chargés de pouvoir*. À travers leurs représentations, des cérémonies appropriées permettent alors d'agir sur le monde ou sur les événements. Les peuples traditionnels, redisons-le, ne dominent pas la nature, à l'instar de la culture occidentale actuelle : ils en constituent l'un de ses éléments, comme les animaux leurs semblables, mais, s'ils sont conscients de leur faiblesse et de leur vulnérabilité au sein d'un monde complexe et dangereux, ils ne s'y résignent pas. Ils pensent que, dans cet univers où tout est lié — le passé avec le présent, les humains avec les esprits et les animaux et, plus généralement, avec toute la nature —, il est possible d'agir pour résoudre les problèmes et améliorer leur condition. C'est là qu'intervient l'image, perçue comme une émanation du sujet représenté. Elle conserve une affinité — et parfois même une identité complète — avec lui et permet en retour de l'atteindre, de le contrôler, d'en obtenir une aide (Clottes 2000c, p. 90-92).

Les images qui matérialisent et font vivre les mythes sont ainsi chargées de pouvoir, comme les Wandjinas du Kimberley australien, ces esprits créateurs puissants liés à la pluie fécondante qu'ils contrôlent. Nous en avons aussi des exemples beaucoup plus proches et récents dans des églises européennes, où certains saints représentés sont censés guérir telle ou telle maladie particulière. Ainsi, dans l'église de Loreta, à Prague, saint Stapimus est qualifié de *Patronus contra dolorem pedum*, saint Liborius *contra dolores calculi* et sainte Ottilie, vierge, *contra doloris oculorum*.

Il est certain que, parmi les images paléolithiques parvenues jusqu'à nous, certaines participent des trois rôles majeurs des mythes, surtout sans doute le dernier. Toutefois, sans des explications directes, impossibles à obtenir pour ces cultures depuis longtemps disparues, la compréhension des mythes et de leurs implications morales ou sociales est évidemment hors de notre portée. Nous avons des suites d'images, dont nous savons qu'elles furent chargées de sens et qui restent aussi mystérieuses que fascinantes. Cela ne saurait nous empêcher, cependant, de nous intéresser à des cas précis, représentant des actions déterminables qui sortent à tel point de l'ordinaire que l'on peut — peut-être ? — y déceler la transposition d'un mythe dont les grandes lignes apparaissent, même si les détails nous échapperont toujours.

Nous illustrerons ce propos avec trois exemples tirés de l'art mobilier et de l'art pariétal. Bien que dissemblables, ils présentent quelques points communs.

La Vénus de Chauvet

Dans la Salle du Fond de la grotte Chauvet, un pendant rocheux isolé descend en pointe jusqu'à 1,10 mètre du sol, immédiatement en face et à quelques mètres du spectaculaire Panneau des Lions. Ce pendant est orné sur plusieurs de ses faces. Initialement, celle que l'on aperçoit en entrant dans la salle, perpendiculaire à la paroi où se trouve le Panneau des Lions, fut interprétée comme ornée d'un « Sorcier », c'est-à-dire d'un être composite debout, vu de profil, dont le haut du corps était celui d'un bison et le bas du corps était constitué par une jambe humaine légèrement fléchie. On ignorait alors tout de ce qui pouvait se trouver de l'autre côté, face à la paroi principale. Il n'avait pas été possible de faire le tour du pendant car le sol de la grotte, dans cette partie de la Salle du Fond, est meuble et tout contact y laisserait des traces modernes indélébiles, ce qui ne saurait être envisagé.

Quelques années plus tard, mon collègue Yanik Le Guillou eut l'idée d'explorer la face cachée du pendant en la photographiant en aveugle, au moyen d'un appareil photo numérique fixé à l'extrémité d'une perche rétractable. Après divers essais, il découvrit ainsi les dessins au trait noir d'un mammouth, d'un bœuf musqué et d'un lion, ainsi que le complément du prétendu « Sorcier », assez différent de ce que l'on avait cru initialement. En fait, immédiatement en avant et au-dessous du « bison », un triangle pubien très naturaliste, d'abord esquissé puis rempli de noir, avait été complété par un sillon vulvaire gravé, vertical, long de quatre centimètres. De part et d'autre, les jambes de la femme, vues de face, se terminaient en pointe, sans les pieds (fig. 28). D'après son découvreur, « cette femme est tout à fait classique. Ses proportions, les éléments de style, la sélection des éléments anatomiques représentés sont caractéristiques des Vénus aurignaciennes ou gravettiennes, surtout connues à travers la statuaire d'Europe centrale et orientale. Dans l'art pariétal paléolithique, c'est la Vénus de Laussel qui paraît la plus proche de celle du Pont-d'Arc » (Le Guillou 2001).

Au-dessus et à droite de la figuration féminine se trouvait l'avant-train d'un bison, dont le membre antérieur se terminait non pas par un sabot mais par une gerbe de traits orientés vers le bas, identique à la représentation des mains sur nombre d'humains dans l'art paléolithique (fig. 28). Il s'agissait donc d'un être composite, à la fois humain et bison. Cette créature fut réalisée postérieurement à la femme et immédiatement à son contact. Les techniques de réalisation des deux sujets sont identiques et on peut penser que l'auteur des deux était la même personne.

Nous avons donc là l'association indiscutable d'une femme, réduite à la moitié inférieure de son corps, où le triangle pubien et la vulve sont fortement accentués, et d'un bison au caractère composite discret mais probable. Viennent alors à l'esprit les innombrables exemples mythologiques, Minotaures et autres, tirés de multiples complexes ethnographiques, où des mortelles ont des relations avec des dieux ou des esprits transformés, aux formes partiellement animales.

La localisation de cette « scène », face à l'entrée de la Salle du Fond et au voisinage immédiat du principal panneau orné de la caverne, c'est-à-dire en un lieu privilégié, témoigne de l'importance qu'elle revêtait pour son auteur et pour les mythes de son groupe.

Le Puits de Lascaux

Le Puits de Lascaux est célèbre par la présence d'une des rares scènes évidentes, même si elle reste mystérieuse, de l'art pariétal paléolithique. Toutes les figures sont à la peinture noire, à base de bioxyde de manganèse. On voit un homme en érection, filiforme, à tête d'oiseau, tombant à la renverse, les bras écartés, devant un bison qui le charge, tête baissée, le ventre ouvert perdant ses entrailles. L'arrière-train de l'animal est surchargé d'un long trait barbelé. Un autre trait comparable, à base à double barbelure, est isolé sous l'homme. Un oiseau, à la tête identique à celle du personnage, est perché sur une tige mono barbelée à sa base (fig. 29). À gauche de la Scène, un rhinocéros s'éloigne. Comme le bison, il a la queue relevée. Six ponctuations, deux par deux, sont au droit de l'arrière-

Fig. 29. La célèbre Scène du Puits de Lascaux (Montignac, Dordogne). D'après une photographie de Norbert Aujoulat (Aujoulat 2004).

train. Sur la paroi opposée, un protomé de cheval noir a également été dessiné.

Pour accéder au Puits, il faut aller au fond de l'Abside, après avoir traversé la grande Salle des Taureaux et franchi le Passage, courte galerie où le courant d'air a effacé la plupart des peintures. L'accès au Puits, au moment de la découverte, était, paraît-il, relativement difficile. Il fallait ramper sur deux mètres avant d'atteindre un épais bouchon d'argile rouge qui en colmatait partiellement l'accès. Les jeunes intrépides descendirent néanmoins les quelques mètres sans problème, avec une simple corde.

Ce bouchon a entièrement disparu et l'on accède à présent au fond du Puits grâce à une échelle métallique. Norbert Aujoulat a fait remarquer que, d'après les témoignages des découvreurs, Jacques Marsal et ses amis, l'argile avançait en encorbellement et, qu'à chaque descente, il s'en détachait des paquets qui venaient tomber dans le fond. Jusqu'alors, ce fait avait été interprété comme l'indice d'un tout petit nombre de visites préhistoriques dans ce lieu, le plus secret et le plus retiré de la grotte. Aujoulat alla plus loin. D'après lui, le Puits avait une autre entrée, à présent colmatée, qui permettait d'y accéder quasiment à l'horizontale (Aujoulat 2004). Dans ce cas, il ne s'agirait pas d'une des galeries de Lascaux, mais d'une deuxième grotte ornée dans la même colline, situation connue ailleurs, par exemple dans les Pyrénées avec les trois cavernes du Volp (Enlène, Les Trois-Frères, Le Tuc d'Audoubert), Niaux et le Réseau Clastres, les deux grottes de Gargas et les trois d'Isturitz-Erberua-Oxocelhaya, ou dans les Cantabres avec les quatre grottes du Monte Castillo (El Castillo, La Pasiega, Las Chimeneas, Las Monedas). Les représentations de cette petite galerie, même si elle avait à l'époque une entrée séparée, sont liées, comme on l'a dit, à celles du reste de Lascaux. L'avant-train du cheval est identique à ceux, nombreux, des autres galeries, et les « sagaies » ou « signes géométriques » ont leur pendant exact ailleurs dans la grotte. Les six points noirs sous la queue du rhinocéros rappellent six points rouges pareillement disposés, comme André Leroi-Gourhan l'a fait remarquer, à l'extrême fond du Diverticule des Félins.

Le Puits se singularise par le pourcentage élevé du gaz carbonique qui s'accumule dans cette zone basse. En temps normal, une machinerie l'extrait. Lorsque celle-ci ne fonctionne pas, les concentrations, très hautes et dangereuses, provoquent des malaises immédiats, selon les témoignages de Marc Sarradet et de Jean-Michel Geneste, anciens Conservateurs de la grotte de Lascaux qui l'ont expérimenté à leurs dépens.

Dans la fameuse Scène, deux faits récurrents pourraient en donner la clé. D'une part, le thème de l'oiseau, rarissime dans l'art pariétal, revient deux fois : l'homme qui tombe à la renverse est doté d'une tête d'oiseau ; sous lui est perché un oiseau à la tête identique. D'autre part, l'idée de mort est présente deux fois elle aussi : à travers l'homme qui s'écroule devant le bison et dans l'animal mortellement blessé.

Après la découverte de la grotte, cette Scène fut interprétée littéralement, comme la relation d'un accident de chasse, malgré l'invraisemblance de la tête d'oiseau pour l'homme, au point que des fouilles furent envisagées au pied de la paroi pour retrouver la sépulture éventuelle de l'infortuné chasseur.

Or nous avons vu que les conceptions du monde des peuples chasseurs/collecteurs étaient loin de la simplicité qu'on leur prêtait indûment, et que leurs dessins sur les roches n'avaient que rarement un but anecdotique, surtout sur les sites sacrés. Bien souvent, ils s'exprimaient par métaphores, en fonction des mythes et histoires sacrées de leur tribu.

À Lascaux, on pourrait lire la Scène à deux niveaux, en rapprochant les répétitions de faits mentionnés. L'idée de mort ne serait-elle pas à mettre en relation avec les effets délétères du gaz carbonique omniprésent de nos jours dans ce fond de galerie, dans le cas où une situation semblable aurait prévalu au Paléolithique ? Dans cette optique, le thème de l'oiseau évoquerait aussi l'envol de l'âme et renforcerait le message.

On peut aller plus loin et envisager que le thème de la mort ne soit pas à prendre au premier mais au second degré, et qu'il se réfère à la transe et au voyage chamanique, à ce moment étrange où l'esprit de l'officiant quitte son corps pour se rendre dans le monde surnaturel où il rencontrera les esprits qu'il désire solliciter. Dans de nombreuses cultures chamaniques, la mort est l'équivalent métaphorique de la transe. Par exemple, dans le centre de la Californie, l'idée de tuer un mouflon (animal de la pluie et de la fécondité) signifiait que le chamane voyageait en esprit — c'est-à-dire était « mort » — pour faire venir, grâce à son action, la pluie bienfaisante (Whitley 2000).

Alors, la Scène prendrait tout son sens, puisqu'elle se référerait à une activité d'une importance capitale pour le groupe, peut-être favorisée par les caractéristiques particulières du lieu où elle fut figurée.

Le faon à l'oiseau

Le thème du faon à l'oiseau, attesté sur plusieurs sites (fig. 30), semble caractérisé dans le temps, au Magdalénien moyen (Labastide, Le Mas-d'Azil, Saint-Michel d'Arudy) et dans l'espace (Pyrénées), les exemplaires les plus éloignés étant à environ deux cent cinquante kilomètres les uns des autres.

Celui de Bédeilhac pourrait appartenir tout autant au Magdalénien final qu'au Magdalénien moyen, puisque ces deux étapes sont bien représentées dans cette caverne.

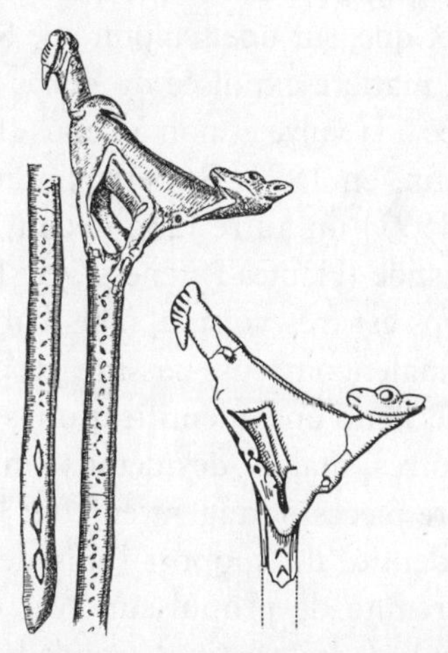

Fig. 30. Propulseurs en bois de renne représentant le thème du faon à l'oiseau, dans le Magdalénien des Pyrénées françaises. À gauche, celui du Mas-d'Azil (Ariège), d'après Saint-Just Péquart. À droite, celui de la grotte de La Vache (Alliat, Ariège), d'après Romain Robert.

Ce fut la découverte par Marthe et Saint-Just Péquart du faon aux oiseaux du Mas-d'Azil, en 1940, qui popularisa ce thème extraordinaire : un faon qui tourne la tête pour observer deux oiseaux perchés sur la matière qui sort de son corps. En 1950, Romain Robert découvrit celui de Bédeilhac, stupéfiant de ressemblance : même sujet et attitude comparable, à part la position des jambes, repliées à Bédeilhac alors qu'elles sont tendues au Mas-d'Azil, et présence d'un seul oiseau à Bédeilhac au lieu de deux (fig. 30). En 1988, Hans-Georg Bandi fit remarquer que, sur une sculpture de Saint-Michel d'Arudy, la matière expulsée du corps de l'animal était localisée à la vulve et non à l'anus (Bandi 1988, p. 138). Enfin, en 1991, Robert Simonnet signala (Simonnet 1991) un autre faon découvert par son père à Labastide (Hautes-Pyrénées), en 1947 : l'attitude du corps est très voisine, mais l'absence de la tête et une malencontreuse cassure au niveau de la queue empêchent une identification sans réserve aux trois autres, malgré des détails communs.

Ces quatre pièces partagent en effet les éléments suivants : identité du support (bois de renne), de l'objet (extrémité de propulseur avec crochet sur l'arrière-train), de la technique (ronde-bosse), thème de l'animal jeune (faon), relief du dos souligné (par une ligne à Bédeilhac, à Labastide et au Mas-d'Azil, par un guillochage à Saint-Michel d'Arudy et à Labastide), stries parallèles sur le crochet (ou sur les oiseaux).

Ces découvertes ouvrent des perspectives sur l'univers conceptuel des Magdaléniens, ce qui en fait tout l'intérêt, et elles posent un certain nombre de questions.

La première question fut de savoir s'il s'agissait d'une défécation ou d'une naissance. Elle donna lieu à de savantes discussions. La plupart des auteurs, depuis Péquart (Péquart 1963, p. 296) acceptaient l'idée d'une défécation, bien que les défécations « des Antilopidés, des Capridés et des Cervidés soient subsphériques, petites, nombreuses et séparées les unes des autres » (Robert 1953, p. 16). Bandi prouva toutefois de façon convaincante qu'il s'agissait en fait d'une naissance, en raison de la position de la vulve et surtout parce que « tous les spécialistes s'accordent à dire que la défécation chez l'animal, en général (sauf cas de maladie, etc.), ne s'accompagne jamais d'un regard. Le rejet est bref et sans intérêt particulier » (Bandi 1988, p. 143), alors que — et cela est essentiel — les femelles qui mettent bas regardent souvent en arrière pour surveiller l'opération. Le boudin serait alors, beaucoup plus logiquement, le sac embryonnaire expulsé après la naissance du ou des petits. Cette interprétation répondant beaucoup mieux que la précédente aux observations anatomiques, physiologiques et éthologiques, le problème fut résolu (pour plus amples détails, cf. Clottes 2001a).

Quant à l'animal représenté, son espèce a fait l'objet de multiples discussions. La seule certitude, qu'il s'agisse de bouquetin ou d'isard, est son caractère d'animal de montagnes et de rochers, pyrénéen par excellence.

L'unanimité s'est faite sur l'aspect juvénile de ces bêtes, d'où leur appellation de « faon », due à la morphologie de la tête et à la gracilité du corps.

Quoi qu'il en soit de l'espèce, c'est bien un très jeune animal, sans cornes, qui est représenté en train d'accoucher.

Qu'il y ait un ou deux oiseaux d'espèce indéterminée, leur association répétée avec la scène de mise bas est indiscutable : ils sont représentés dans le prolongement direct du boudin sortant du corps de l'animal. C'est donc d'un concept bizarre, non-naturaliste, qu'il s'agit.

Pour résumer :

— la scène est celle d'une mise bas par une femelle de bouquetin ou d'isard ;

— son personnage principal est un animal très jeune, fait qui peut paraître contradictoire avec l'observation précédente ;

— la présence du ou des oiseau(x) ne correspond pas non plus à une réalité éthologique ;

— ces objets, peut-être non utilitaires, se trouvaient pour certains en des lieux privilégiés ;

— enfin, ce thème a été reproduit à diverses reprises et en divers lieux, avec quelques variantes, mais avec une répétitivité étonnante dans le détail.

Cette dernière constatation suscite divers questionnements. Depuis les découvertes de ces extrémités de propulseurs, nos connaissances en taphonomie ont progressé. Nous savons que les vestiges parvenus jusqu'à nous ne représentent qu'une infime proportion de la globalité des productions préhistoriques (à ce sujet, cf. Delporte 1984). Le faon à l'oiseau serait alors un thème pyrénéen très connu au Magdalénien, matérialisé sur de nombreux supports, sous une forme plus ou moins stéréotypée, d'un bout à l'autre de la chaîne. Si cette hypothèse est exacte, compte tenu des déplacements fréquents attestés au Magdalénien et des influences d'une région sur une autre, il n'est pas du tout impossible qu'on en trouve un jour ailleurs.

Cela signifie-t-il que ces objets sont dus à une même main, voire à un même groupe, c'est-à-dire qu'ils aient eu une origine très restreinte, ce qui expliquerait l'originalité du thème ?

En fait, nous n'avons aucune certitude sur la contemporanéité présumée de ces pièces ni sur l'antériorité des unes par rapport aux autres, car elles peuvent s'échelonner aisément sur plusieurs centaines d'années. On pourrait faire les mêmes remarques à propos des « hommes-lions » découverts au Hohlenstein-Stadel et au Hohle Fels, dans l'Aurignacien du Jura souabe.

Il semble plus probable de considérer que le thème cité ait correspondu à une histoire légendaire des Magdaléniens pyrénéens — hypothèse envisagée par Camps 1984, p. 258 — et qu'il ait été indépendamment matérialisé, en des lieux et peut-être en des temps différents, par des artistes qui pouvaient s'ignorer mais qui puisaient aux mêmes sources de la tradition orale. Le dépôt de certains de ces objets en des lieux spéciaux montre qu'on leur attachait une importance certaine.

À la base de ce mythe est l'histoire d'un animal juvénile, un faon, apparemment un peu jeune pour mettre bas, et qui pourtant donne naissance. À cette première rupture possible avec la réalité, il s'en ajoute une autre : le (ou les) oiseau(x). La scène suggère en fait que le produit de la parturition serait l'oiseau. On pressent une histoire très complexe, comme il en existe dans toutes les cultures traditionnelles, où les transformations d'espèces sont abondamment attestées.

Nous avons vu que les êtres composites, à caractères humains et animaux, sont connus à de multiples reprises dans l'art paléolithique, y compris avec des têtes d'oiseaux : Lascaux (cf. *supra*), Pech-Merle, Cougnac (cf. fig. 1), et qu'il existe aussi des animaux composites (cerf à tête de bison des Trois-Frères, lion à pattes d'ongulé de Chauvet, etc.). Dans ce contexte, la naissance d'un oiseau à partir d'un faon impubère ne serait pas plus étrange.

Quel que soit leur sens précis, il convient de considérer ces objets mobiliers et ces images pariétales pour ce qu'ils sont, à savoir les témoins privilégiés d'une pensée sophistiquée, d'un monde de l'imaginaire qui ne se laisse que rarement et malaisément entrevoir, où les relations des animaux entre eux et avec les hommes dépassent de très loin la simplicité longtemps supposée du rapport élémentaire du chasseur avec sa proie ou de la reproduction servile de scènes de la vie courante.

De fait, le point commun des trois exemples

choisis ci-dessus est le mélange indissociable, à travers tout le Paléolithique supérieur, de caractères naturalistes pleinement reconnaissables avec d'autres qui sortent à l'évidence de la réalité : les relations de la femme et d'un être à la fois homme et bison ; l'homme à tête d'oiseau ; le tout jeune faon accouchant d'un oiseau.

Ils nous rappellent que la caractéristique fondamentale de bien des sociétés traditionnelles, en particulier celles qui pratiquent le chamanisme, est la fluidité (cf. *supra*) : fluidité entre le monde réel, celui où l'on vit, et le monde des esprits où l'on peut se rendre par la vision ou, plus concrètement encore, en visitant les profondeurs souterraines ; fluidité aussi entre le monde des hommes et celui des animaux, ce qui induit des interactions constantes entre les uns et les autres, celles-là même dont rendent compte les mythes.

QUI A FAIT CET ART ?

Les fréquentations attestées des cavernes par des personnes des deux sexes et par des enfants laissent entier le problème des auteurs des peintures et gravures, particulièrement pour ce qui concerne l'essentiel des grandes fresques ou des représentations naturalistes.

Pendant longtemps, on considéra implicitement qu'il ne pouvait s'agir que d'hommes. Depuis, avec la montée des féminismes et l'évolution des mentalités, il est devenu politiquement correct de les attribuer à des femmes, sans que cette position soit plus étayée que la précédente. Ainsi, depuis juin 2009, on peut voir, dans l'excellent Parc de la Préhistoire de Tarascon-sur-Ariège, une reconstitution animée de l'un des principaux panneaux de la grotte Chauvet où c'est une jeune femme qui dessine les figures qui le composent. Tant il est vrai que bien des conceptions de la vie préhistorique suivent l'évolution des préjugés et des mouvements d'opinion, comme l'a bien montré notre collègue Claudine Cohen dans son ouvrage *La Femme des origines* (Cohen 2003, p. 17, p. 151-173).

En fait, nous ne savons rien du sexe des auteurs, à quelques exceptions près, comme cette gravure en hauteur de la grotte Cosquer, qui ne peut être due qu'à une personne de très grande taille et donc, vraisemblablement, à un homme adulte. Les mains négatives ou positives, ou encore les points-mains (Chauvet), lorsqu'ils trahissent le sexe possible de leur auteur, indiquent simplement que les deux sexes avaient accès aux parois et aux cérémonies. Une différence majeure existe en effet entre les traces de contacts directs simples entre la personne et la paroi (mains, tracés digitaux) et les dessins élaborés qui témoignent d'une maîtrise étonnante du trait et peuvent avoir des rôles assez différents.

Pour risquer des hypothèses sur le sexe des peintres, nous ne pouvons nous fonder, encore une fois, que sur deux éléments : les exemples ethnologiques et le contenu de l'art.

Nous savons depuis longtemps qu'en Australie les cultures aborigènes distinguent nettement un domaine réservé aux hommes (*Man's business*) et un autre qui est l'apanage des femmes (*Women's business*). Certaines connaissances et certaines images de l'un ou de l'autre doivent rester inaccessibles à l'autre sexe. Il existe en conséquence des sites ornés masculins et d'autres féminins. Claire Smith a insisté sur ces faits pour lutter contre le machisme habituel qui faisait faussement attribuer tout ce qui était art aux hommes. Elle a rappelé également qu'on connaissait des exemples d'art rupestre dû à des femmes en d'autres parties du monde, comme en divers lieux de l'Amérique du Nord ou au Sri Lanka (Smith 1991, p. 50-51).

Des femmes avaient accès aux grottes ornées et ont participé à certaines actions et cérémonies. Qu'elles y aient dessiné sur les parois est donc plus que vraisemblable. La même remarque vaut pour les hommes. Y avait-il une distinction comparable à celle attestée en Australie et ailleurs, dans les thèmes, les techniques et les lieux choisis entre des actions masculines et d'autres féminines ? On peut le soupçonner, mais rien ne l'indique de façon certaine dans l'état actuel de la recherche.

Au moment de la découverte de la grotte Cosquer, nous avions avancé ce type d'hypothèse, à propos de la différence constatée entre les peintures et les gravures. Les premières sont en général plus grandes et moins nombreuses que les secondes, qui portent assez souvent des signes gravés alors que les peintures en sont dépourvues. Ces signes, fréquemment barbelés ou empennés, sont assimilables à des armes de jet. Or les armes, surtout les armes tranchantes et perforantes, celles qui font couler le sang, sont presque toujours l'apanage des hommes dans les sociétés de chasseurs-cueilleurs (Testart 1986). Nous en avions conclu : « Peut-être, à la grotte Cosquer, pourrait-on envisager, à titre d'hypothèse, que ce sont les hommes qui ont tracé les animaux gravés, souvent fléchés, et que les peintures animales qui ne le sont pas ont des femmes pour auteurs ? Il est douteux que l'on puisse jamais prouver quoi que ce soit dans ce domaine, mais le problème mérite d'être évoqué, fût-ce sous la forme d'une interrogation » (Clottes et Courtin 1994, p. 177).

L'origine masculine des dessins a depuis un quart de siècle un champion sans complexes et parfois provocateur, Dale Guthrie, biologiste et chasseur (Guthrie 1984, 2005). Le postulat de base est peu discutable. Dans toutes les sociétés de chasseurs-cueilleurs, ce sont les hommes qui pratiquent la chasse, surtout celle aux grands animaux, et les femmes qui pratiquent la cueillette. Cela souffre des exceptions dans les deux cas, que des hommes ramassent à l'occasion des champignons ou des fruits sauvages ou que les femmes tuent de petits animaux qui passent à portée d'elles, ou encore qu'elles servent de rabatteurs lors de grandes chasses collectives. Mais dans l'ensemble, c'est l'Homme qui est le pourvoyeur du gros gibier et la Femme des ressources végétales. S'il est beaucoup plus spectaculaire de ramener un bison qu'un panier de racines comestibles ou de baies, des études approfondies ont depuis longtemps montré que l'apport des femmes était plus constant et plus important sur le long terme et répondait à près des deux tiers des besoins alimentaires du groupe (cf. Lee 1979, au sujet des !Kung San du sud de l'Afrique). Elles assurent l'ordinaire de manière plus stable. Il ne s'agit donc pas d'une hiérarchisation des tâches, nobles ou moins nobles, mais d'une répartition qui correspond aux possibilités optimales des uns et des autres. Les hommes ont davantage de force brute, courent plus vite et sont plus disponibles, n'étant encombrés ni par les grossesses ni par les enfants en bas âge. Ils sont aussi plus susceptibles d'être exposés aux dangers de la grande chasse, étant moins précieux que les femmes pour la survie du groupe.

Or, des trois thèmes principaux de l'art rupestre (signes géométriques, humains, animaux), si les signes géométriques sont les plus nombreux, ce sont les grands animaux qui occupent la majeure partie de l'espace visuel. Les espèces de petite taille (oiseaux, lapins/lièvres, poissons) sont peu représentées. Les animaux les plus fréquents, tout au long du Paléolithique supérieur, sont les chevaux, les bisons, les aurochs, les mammouths, les rennes, les cerfs, les bouquetins, moins souvent les rhinocéros laineux, les ours, les lions des cavernes. Ce sont donc des thèmes de chasseurs, confrontés à leurs proies, aux prédateurs et aux autres grands animaux de leur environnement. *A contrario*, la végétation est absente, de même que les enfants, les bébés, les scènes d'accouchement, les scènes domestiques et autres thèmes que l'on pourrait associer préférentiellement aux femmes. Il semblerait donc que les choix des thèmes portaient bien davantage sur des sujets « masculins » que « féminins », même si la prudence doit rester de mise dans ce domaine.

Guthrie alla beaucoup plus loin, dans des voies où l'on ne peut le suivre. Il en déduisit que non seulement il s'agissait d'un art de chasseurs, mais encore que le nombre de représentations de femmes nues réduites aux essentiels sexuels (seins, fesses, vulve, silhouette) et de vulves isolées étaient des *erotica*, et il fit une comparaison à la fois amusante et provocante entre des images de femmes dans l'art pariétal et mobilier et des photos tirées de *Playboy*. Il en conclut que « l'art paléolithique qui s'est conservé semble avoir été fait par des hommes au sujet de préoccupations masculines » (Guthrie 1984, p. 71 ; cf. aussi Guthrie 2005), à savoir la chasse et les femmes en tant qu'objets de désir. Cet art qui, d'après lui, sent la testostérone, serait dû à de jeunes garçons, des adolescents qui seraient ainsi allés s'amuser dans les grottes.

Comme on pouvait s'y attendre, les critiques affluèrent (cf. en particulier White 2006). Des jeunes (garçons ou/et filles) ont pu et dû avoir accès aux sanctuaires souterrains et certain(e)s y ont peut-être fait quelques dessins dans le cadre des rites qui s'y déroulèrent. Sans même parler du caractère culturellement relatif de l'érotisme et des significations complexes que revêtent souvent les représentations des organes sexuels[1], il est cependant inconcevable, compte tenu de ce que nous savons du caractère particulier des cavernes profondes, que, pendant plus de vingt mille ans et sur tout le territoire de l'Europe, elles aient essentiellement servi de terrain de jeu ou de défi à des gamins travaillés par leurs hormones.

Les capacités extraordinaires de certains enfants autistes, que l'on appelle « autistes savants », ont retenu l'attention et fait envisager l'hypothèse qu'ils aient contribué, au moins en partie et sous une

1. Par exemple, dans les sociétés polynésiennes, les organes sexuels ont un pouvoir magique et le sexe de la femme est nocif (il détruit le *mana*) mais il a aussi une vertu créatrice.

forme ou sous une autre, à la réalisation de l'art paléolithique.[1] En effet, il arrive parfois que de très jeunes autistes, par ailleurs sévèrement handicapés mentalement, témoignent d'exceptionnels dons artistiques innés (Treffert 2009). Une comparaison entre l'art des cavernes et les dessins, particulièrement ceux d'animaux, spontanément créés par une petite fille anglaise, Nadia, déficiente mentale ne parlant pratiquement pas, a montré des « similarités surprenantes de contenu et de style » (Humphrey 1998, p. 165)[2]. L'auteur n'en déduit pas que l'art serait attribuable à des autistes choisis en tant que tels, mais que les Paléolithiques n'avaient pas nécessairement les mêmes capacités mentales que les nôtres et que leurs limitations, dans le domaine du langage par exemple, comparables à celles des autistes, pouvaient expliquer leurs dons artistiques (*Id.*, p. 176)[3]. Cette thèse, abondamment combattue dès qu'elle fut émise, n'a pas été retenue. L'art paléolithique, en effet, n'existe pas dans le vide. Nous en savons assez, depuis près d'un siècle et demi de fouilles et de recherches, sur l'art mobilier des Paléolithiques, leur parure, leurs

1. Paul Tréhin, vice-président d'Autisme Europe, *in litt.* 15 février 2002.

2. « *Comparison of the cave art with the drawings made by a young autistic girl, Nadia, reveals surprising similarities in content and style* ».

3. « *The case for supposing that the cave artists did share some of Nadia's mental limitations looks surprisingly strong* ».

techniques et plus généralement sur leurs modes de vie, et sur les comparaisons que l'on peut faire avec des peuples chasseurs ailleurs dans le monde, pour écarter l'hypothèse d'un développement mental structurellement inférieur au nôtre.

Quant au rôle des enfants autistes dans la culture paléolithique, où ils ont dû exister comme partout, c'est un tout autre problème. Il n'est pas impossible que ceux qui possédaient des capacités de « savants » aient fait l'objet d'une considération spéciale, étant « marqués par les esprits » en raison de leur originalité. Toutefois, nous ne connaissons aucun exemple ethnologique où ils auraient eu un rôle de spécialiste religieux et, en particulier, où ils auraient été élus pour dessiner sur les parois des abris ou sur les rochers ; sans doute, et cela est crucial, parce que ces activités étaient difficilement dissociables du reste des pratiques cultuelles qui restaient hors de leur portée en raison même de leurs limitations.

Un fait demeure, qui demande réflexion : la qualité graphique hors du commun de l'art pariétal paléolithique et ce qu'elle implique au sujet de ses auteurs. Les grottes ornées de peintures ou de gravures qui témoignent d'une grande maîtrise des formes et des techniques, c'est-à-dire de la présence de véritables artistes dominant parfaitement leur sujet, sont trop nombreuses pour qu'il s'agisse de coïncidences. Dès l'Aurignacien de Chauvet et jusqu'au Magdalénien d'Altamira, de Niaux ou du Portel, que ce soit en France ou en Espagne, les chefs-d'œuvre abondent. L'impact visuel de nombreuses œuvres fut souvent recherché par des moyens divers. Dans certains cas, à Chauvet, sur le Panneau des Chevaux ou sur celui des Lions, l'artiste a écrasé le charbon et l'a mêlé à la substance blanchâtre molle qui couvre les parois pour obtenir des nuances qui vont du noir au bleu sombre, et il (ou elle...) a savamment étalé le pigment à l'intérieur de la tête et des corps pour en rendre le modelé, par le procédé appelé actuellement « estompe ». L'un des exemples les plus remarquables se trouve à Lascaux, où une vache a été anamorphosée, c'est-à-dire délibérément dessinée d'une manière non réaliste mais très habile, en raison de sa position en haut de paroi, pour que le spectateur situé plus bas puisse la voir avec des proportions parfaites. La majorité des peintures n'a pu être réalisée ni par des débutants, ni par des enfants, ni par des handicapés, ni par des personnes dépourvues de sens artistique. Ces faits, impossibles à quantifier (il serait difficile d'attribuer des notes à tel ou tel dessin...), n'en sont pas moins évidents (Clottes, p. XIX-XXV, *in* Heyd et Clegg 2005).

Diverses conséquences en découlent. La première est la nécessité d'un enseignement organisé et traditionnel. En son absence, on ne saurait avoir une maîtrise aussi soutenue ni la perpétuation d'une aussi longue tradition. Cet enseignement devait porter tant sur la reproduction des formes animales (thèmes, conventions et techniques) que sur leur signification (mythes, importance sociale, rôle culturel, pouvoir), les deux étant indissociables. Les anciens devaient sans aucun doute transmettre leur savoir à des jeunes. L'idée fut émise que les plaquettes gravées, abondantes dans certaines grottes (Enlène dans les Pyrénées françaises, Parpalló en Espagne), voire sur des sites de plein air (Gönnersdorf en Allemagne), auraient pu jouer un rôle dans cet enseignement. Sans être impossible, c'est loin d'être certain, car les plaquettes avaient certainement une valeur en elle-même, au moins temporaire, puisqu'elles firent l'objet de dépôts pendant des millénaires en des lieux particuliers (Parpalló) ou qu'elles sont étroitement associées à des grottes ornées (Labastide, Bédeilhac, Enlène/Trois-Frères). On songerait plutôt à un enseignement dispensé en majeure partie à l'air libre, dans les abris ou dans la nature, peut-être en utilisant des supports qui ne se sont pas conservés, comme du bois, des écorces, des peaux ou l'argile du sol.

La qualité de l'art pose aussi la question du rôle de l'esthétique. Les dessins impressionnants de naturalisme étaient-ils davantage chargés de valeur spirituelle ou magique que d'autres plus schématiques et grossiers ? Dans les îles du Pacifique (Hawaï, île de Pâques, Marquises, etc.), il fallait que le dessin sur la roche fût parfait pour qu'il puisse avoir l'efficacité requise, la moindre erreur entraînant un résultat contraire au but recherché, voire étant considérée comme une faute grave passible de sanctions drastiques (Lee 1992, p. 12). Dans la religion chrétienne, en revanche, la même valeur spirituelle, sinon sociale et pécuniaire, s'attachera à une simple croix de bois de réalisation maladroite et à une superbe croix en or ou en argent constellée de pierres précieuses. Les réponses ne sont sans doute pas simples et ont varié en fonction des circonstances.

Enfin, les fréquents chefs-d'œuvre de l'art pariétal, la plupart réalisés sans repentirs ni reprises, donnent logiquement à penser que leurs auteurs étaient naturellement doués. L'enseignement, indispensable, accompagne et favorise leur accomplissement mais il ne suscite pas les génies. Il est donc logique de penser que, dans les groupes paléolithiques et tout au long des vingt à vingt-cinq mille ans pendant lesquels les cavernes profondes furent ornées, on choisissait autant que faire se pouvait des personnes qui montraient des dons artistiques innés. Être capable de reproduire la réalité vivante, ou plutôt de la recréer, pouvait fort bien être considéré comme la preuve que cette personne avait été marquée par les esprits surnaturels, puisqu'elle exerçait un pouvoir de création et/ou de contrôle sur les images des animaux.

Cette hypothèse rend compte de la fréquence frappante des chefs-d'œuvre, mais certainement pas de tout l'art paléolithique où abondent les esquisses maladroites ou sommaires, parfois au voisinage immédiat de réalisations prestigieuses (Chauvet, Niaux). D'autres personnes que les « grands artistes », comme nous l'avons vu, participaient aux cérémonies et avaient accès aux parois, soit pour y faire leurs propres dessins soit pour les toucher.

Quel était le statut des artistes ? On peut penser qu'ils avaient une place toute spéciale dans les groupes, celle dévolue aux intermédiaires entre le monde du quotidien et celui, immanent, redoutable et tout puissant, des forces invisibles. On sait que, dans les sociétés chamaniques, le choix du chamane est capital en raison du rôle qui sera le sien pour maintenir l'équilibre entre le monde naturel et le monde surnaturel et en définitive pour assurer la survie du groupe. Chez les Esquimaux, « certains individus sont prédestinés à cette fonction par des signes singuliers ou extraordinaires s'étant manifesté dès leur venue au monde (...). D'autres personnes, enfin, sont choisies dès leur plus jeune âge ou à l'adolescence par un vieux chamane désireux de transmettre son expérience à un disciple lui paraissant présenter certaines dispositions ou des dons exceptionnels » (Victor et Robert-Lamblin 1993, p. 229).

Étant donné la place de l'art pariétal dans les cultures paléolithiques en Europe, ses caractéristiques et sa localisation, ainsi que la perpétuation d'une telle tradition nécessitant la forte contrainte de croyances transmises de génération en génération, les aptitudes artistiques ont pu faire partie de ces « dons exceptionnels » qui signalaient à tous que tel ou tel enfant était élu par les esprits pour devenir chamane et les contacter grâce à son art.

UN CADRE CONCEPTUEL CHAMANIQUE

Nous avons vu que, malgré les incertitudes inévitables, le nombre et l'importance des réponses que l'on peut apporter aujourd'hui sur le rôle de l'art paléolithique et sur le cadre conceptuel dans lequel il fut réalisé est loin d'être négligeable, grâce aux nouvelles découvertes, à l'avancement des recherches et à l'approfondissement de la réflexion, appuyée sur des expériences personnelles.

L'une des certitudes majeures, qui les sous-tend toutes, est l'identité des structures de pensée pendant tout le Paléolithique supérieur à l'échelle de l'Europe. Nous en avons maintes preuves. Pendant près de vingt-cinq mille ans, les grottes profondes ont été occasionnellement visitées pour y faire des dessins, ce qui en soi témoigne de la pérennité des croyances à l'égard du monde souterrain et de son approche. La double logique des lieux retirés et de ceux aux compositions spectaculaires se retrouve en effet de l'Aurignacien de Chauvet au Magdalénien de Niaux. Les dessins respectent en gros, tout du long, les mêmes règles et conventions, depuis longtemps reconnues : prééminence des animaux, surtout ceux appartenant à de grandes espèces, abondance des signes géométriques, rôle marginal des humains, présence à toutes époques des créatures composites, rareté des scènes. Certains gestes précis, en outre, ont été accomplis à l'identique pendant de nombreux millénaires : dépôt de plaquettes décorées au Parpalló ; insertion d'esquilles osseuses dans les fissures de diverses grottes ornées d'Espagne et de France. Cela signifie que non seulement on approchait les grottes dans la même optique, mais que l'on y répétait souvent les mêmes gestes. C'est là un fait capital.

Certes, à l'intérieur de cette continuité, des changements se produisirent, en fonction des temps et des lieux. Ils concernent surtout les sujets représentés. Ainsi, les mains négatives débutent sans doute à l'Aurignacien (Chauvet, El Castillo), elles deviennent nombreuses et bien datées au Gravettien (Gargas, Cosquer, Fuente del Salín), mais on n'en connaît pas encore qui aient été datées avec certitude du Solutréen ou du Magdalénien. Cela signifie-t-il que nos connaissances sont incomplètes et qu'on pourra un jour obtenir des datations de mains attribuables à ces cultures ou que la tradition s'est interrompue ? On ne sait. Autre changement important : la dominance dans l'art, à l'Aurignacien, des espèces impressionnantes, peu ou pas chassées (surtout lions, rhinocéros et mammouths), et l'inversion de la tendance à partir du Gravettien. Il y en eut d'autres, concernant les thèmes et les techniques, mais dans l'ensemble, c'est la continuité qui domine.

La conclusion qui s'impose est qu'il s'agit d'une religion dont les bases conceptuelles sont restées suffisamment stables pendant plus de vingt millénaires pour engendrer des comportements identiques à l'échelle de l'Europe. Par conséquent, il est légitime de rechercher ces bases, qui constituent un cadre de pensée et une conception particulière du monde. C'est ce qui vient d'être fait.

Comme cela est apparu au fil du discours, toutes les indications vont dans le sens d'une religion de type chamanique, dont les concepts de base sont la PERMÉABILITÉ du (ou des) monde(s) et la FLUIDITÉ. Même si des éléments chamaniques (visions) existent dans quasiment toutes les religions, on ne peut parler de chamanisme que lorsque ces concepts sont suffisamment forts et instrumentalisés pour constituer un cadre pérenne de croyances et de pratiques. Ce que l'on appelle la transe, que l'on qualifierait plutôt de nos jours d'état modifié de la conscience, en est le moyen privilégié. La continuité de l'art paléolithique sur tant de millénaires et celle des rituels qui lui sont associés témoignent d'une organisation et d'une tradition conceptuelles remarquables, sans laquelle cette religion, car c'en est bien une au sens large, se serait immanquablement éteinte longtemps avant la fin de la glaciation.

C'est dans ce cadre de croyances que les cavernes furent fréquentées, sans doute en des occasions exceptionnelles, étant donné le nombre relativement peu élevé de grottes profondes ornées (moins de deux cents pour toute l'Europe, pour vingt à vingt-cinq mille ans). L'essentiel des rites dans leur pratique courante devait se dérouler en extérieur, n'y laissant que très peu ou pas de traces. On ne saurait à ce propos opposer l'art des grottes profondes et celui à l'air libre, pas plus qu'on opposerait la célébration régulière d'une messe à l'intérieur d'une église à celle, moins fréquente, qui se déroule occasionnellement en plein air.

Il est plausible que les salles profondes aient servi entre autres de lieux de recherche de visions, étant donné le caractère hallucinogène du milieu souterrain lorsque l'on est coupé du temps et des stimuli extérieurs. Après nos publications initiales, nous avons eu connaissance de nombreux témoignages de spéléologues et même d'archéologues contemporains qui avaient été victimes d'hallucinations, évidemment non souhaitées, après des séjours prolongés dans le silence, l'humidité et l'obscurité (Fénies 1965 ; Simonnet 1996 ; Clottes 2004c). Ce phénomène ne pouvait qu'être favorisé pour des gens qui, au Paléolithique, pénétraient sous terre en étant persuadés qu'ils se rendaient dans le monde de l'au-delà et qui s'attendaient à avoir des expériences étranges ou même qui les recherchaient.

Cela ne signifie pas que les dessins étaient réalisés au cours des visions, comme certains ont cru que nous le pensions, alors que ce ne fut jamais le cas et que nos écrits sont des plus clairs à cet égard (Clottes et Lewis-Williams 2007, p. 217). Leur maîtrise, leur caractère composé et réfléchi, la sophistication des méthodes si souvent employées, suffisent à faire écarter cette possibilité. Il peut y avoir des exceptions, comme à Pergouset (Lot), cavité ornée à propos de laquelle cette hypothèse fut explicitement formulée (par Ann Sieveking, *in* Lorblanchet et Sieveking 1997, p. 53)[1], car les gravures deviennent de plus en plus déformées et psychédéliques au fur et à mesure que l'on s'enfonce dans les galeries étroites et surbaissées, mais elles sont rarissimes. En revanche, que certains des thèmes représentés — mais certainement pas tous étant donné la complexité inhérente aux mythes — aient leur origine dans ces visions est plausible, puisque cela est souvent attesté dans les cultures qui pratiquent à la fois l'art et le chamanisme

1. « *Perhaps we have here an unambiguous example of decoration produced in an altered state of consciousness. Many factors may contribute to this. Beside the ritual context of the representation we might imagine extreme fatigue, hunger, isolation, an individual's natural ability to hallucinate, or the use of various psychotropic drugs* ».

(Wallis 2004, p. 22)[1]. Cela pourrait être le cas, par exemple, pour nombre de signes géométriques, mais aussi pour des animaux, composites ou non.

Ces gens n'allaient pas que pour cela dans les profondeurs des grottes. « Dans les sociétés traditionnelles, où les rapports entre nature et culture ne sont pas pensés en termes de rupture mais de continuité, où la séparation entre les êtres et les choses du monde est floue, voire ignorée, la fonction chamanique essentielle est d'assurer la bonne gestion des relations entre l'univers des humains et celui des esprits » (Chaumeil 1999, p. 43). S'ils se rendaient dans ce monde souterrain étrange, parfois seuls, parfois accompagnés de ceux qui avaient besoin d'aide, peut-être des malades, des enfants ou des adolescents au moment des initiations et des rites de passage, c'était pour y rencontrer les esprits qui habitaient ces lieux mystérieux et effrayants et résidaient dans la roche où parfois s'entrevoyaient leurs formes à la lumière vacillante des torches. Ils entraient en contact avec eux grâce à la peinture ou à la gravure, afin de restaurer une harmonie, obtenir leur bon vouloir ou une parcelle de leur force.

Considérés dans cette optique, les dessins des cavernes prennent davantage de sens et de logique

1. « *In the context of shamanic art, ethnographic records suggest that the visual imagery is often a direct depiction of shamanic experiences* ».

qu'avec les théories antérieures. L'hypothèse chamanique explique le grand nombre d'œuvres qui mettent à profit des reliefs naturels, comme celles proches des fissures, des fonds de galerie ou des gouffres qui offraient des échappées vers le plus profond de la roche. Les tracés indéterminés, les représentations gauches et maladroites, les attouchements des parois, pouvaient être dus aux accompagnateurs du chamane. Ils participaient ainsi, à leur façon, aux cérémonies, tandis que leur guide expérimenté réalisait les dessins les plus achevés. Les empreintes de mains au pochoir permettaient d'aller plus loin encore. Lorsque l'on apposait la main sur la paroi et que l'on projetait la peinture sur la main, celle-ci se fondait dans la roche dont elle prenait la couleur, rouge ou noire. La main disparaissait alors dans la paroi, établissant une liaison directe avec le monde des esprits et captant leur pouvoir. La présence de mains appartenant à de très jeunes enfants (Gargas, Cosquer, Rouffignac) n'a alors rien d'extraordinaire, non plus que celle d'esquilles osseuses banales fichées dans les fissures de tant de grottes ornées.

Outre les constatations faites dans les grottes elles-mêmes et les comparaisons ethnologiques auxquelles elles donnent lieu, deux arguments majeurs renforcent l'hypothèse d'une religion de type chamanique au Paléolithique supérieur.

D'abord le fait, largement admis, que le chamanisme est particulièrement lié aux économies de chasseurs, en raison de leurs relations particulières avec la nature et les animaux. « La chasse est reconnue depuis Andreas Lommel comme le contexte privilégié, voire le milieu d'émergence, du chamanisme » (Hamayon 1995, p. 418)[1]. « On s'accorde aujourd'hui à définir le chamanisme comme un système de pensée et d'action propre aux sociétés de chasseurs, mais que l'on trouve, plus ou moins modifié, dans d'autres types de sociétés » (Chaumeil 1999, p. 43)[2]. Puisqu'il est certain que les cultures du Paléolithique supérieur étaient celles de chasseurs-cueilleurs, cela rend l'hypothèse chamanique pour ce qui les concerne statistiquement beaucoup plus probable que tout autre.

Deuxième fait : jusqu'à une époque récente, une nappe de cultures chamaniques couvrait tout le nord de la planète, de l'Asie et de la Sibérie à la

1. Cette spécialiste a toujours insisté sur l'association du chamanisme et des cultures de chasseurs et, malgré les réserves qu'elle fait au sujet de la transe, elle admet en conséquence les rapports vraisemblables de cette religion avec les gens du Paléolithique supérieur et déclare dans une entrevue : « J'ai toujours été convaincue que l'art des grottes avait un rapport avec le — vrai — chamanisme : il y a un lien fondamental entre chamane et chasse. Il me paraît tout à fait vraisemblable que ces sociétés où la vie dépendait tellement des animaux aient eu recours au chamanisme » (*La Croix*, 20 décembre 1996).

2. L'association privilégiée du chamanisme aux sociétés de chasseurs a été aussi développée ou mentionnée par nombre de spécialistes de cette religion : Vitebsky 1995, p. 29, p. 30 ; Vazeilles 1991, p. 39 ; Perrin 1995, p. 92, p. 93 ; Hamayon 1990, p. 289.

Scandinavie, et elle s'étendait jusqu'au Nouveau Monde, puisque les croyances et pratiques chamaniques sont à la base des religions amérindiennes du Canada, des États-Unis, et même de l'Amérique centrale et du nord de l'Amérique du Sud. Les ressemblances des pratiques entre les chamanes de Sibérie et ceux du Nouveau Monde ont souvent été relevées. Cela peut s'interpréter de deux manières, chacune renforçant à sa façon l'hypothèse d'un chamanisme paléolithique. Il pourrait s'agir d'une simple convergence, due à l'ubiquité du chamanisme en raison de ses bases neurophysiologiques et de son association avec les sociétés de chasseurs. Toutefois, les gens qui, au Paléolithique supérieur, ont graduellement peuplé le continent américain, ont apporté avec eux leur propre conception du monde. La très large diffusion du chamanisme amérindien donne donc à penser que cette conception était chamanique. Qu'elle ait duré pendant de nombreux millénaires dans les Amériques n'a rien pour étonner, puisque l'on sait que les religions et les pratiques qu'elles entraînent évoluent bien moins rapidement que les aspects matériels des civilisations. D'ailleurs nous venons de voir leur longue persistance dans les cavernes européennes, où les structures de la pensée et leurs manifestations changèrent assez peu jusqu'au bouleversement de la fin des temps glaciaires qui mit un terme à la plus extraordinaire et l'une des plus longues traditions artistiques que connut l'Humanité.

Conclusion

Dès ma prise de fonctions comme directeur des Antiquités préhistoriques de la région Midi-Pyrénées, en janvier 1971, c'est-à-dire il y a exactement quarante ans, j'eus à connaître de la découverte du Réseau Clastres (Niaux, Ariège) et à régler les nombreux problèmes qui se posèrent immédiatement. J'en savais très peu, alors, sur l'art des cavernes, ma spécialité étant les périodes récentes, Néolithique et Âge du Bronze, et plus particulièrement les dolmens sur lesquels je faisais une thèse depuis une dizaine d'années. Mon collègue et ami Robert Simonnet avait davantage d'expérience et il m'aida beaucoup. C'est ensemble que nous visitâmes ce site profond. Nous y revînmes de nombreuses fois pour en faire l'étude (Clottes et Simonnet 1972, 1990).

Au début, tout paraissait simple : dans une salle très éloignée de l'entrée de Niaux, à un kilomètre et demi, des spéléologues avaient trouvé cinq représentations animales, trois bisons, un cheval et un mustélidé (belette ou fouine), ainsi qu'un gros amas de sable glaciaire recouvert d'empreintes de pieds nus. Pour accéder à ces galeries inconnues, ils avaient franchi un siphon en scaphandre puis avaient vidé trois lacs successifs par pompage. Entre deux des lacs se trouvait un squelette de mustélidé : il devait donc y avoir un rapport avec le dessin repéré.

Notre étude minutieuse nous a en fait révélé une réalité beaucoup plus complexe. Nous nous sommes aperçus qu'entre les premiers siphons et un quatrième lac qui ne se mettait que rarement en charge, on ne relevait aucune trace humaine. En revanche, dès après ce quatrième lac et jusqu'au fond, les traces abondaient (nombreuses empreintes, en dix-sept plages différentes, charbons au sol, mouchages de torches sur les parois). Cela signifiait que les Préhistoriques étaient venus par une autre entrée, actuellement colmatée. Des travaux topographiques montrèrent qu'il s'agissait d'une grotte voisine, appelée La Petite Caougno. Nous visitions donc la grotte à l'envers.

L'étude des dessins noirs nous a permis de faire deux observations majeures : ils avaient les mêmes conventions que celles des animaux du Salon Noir de Niaux, mais, contrairement à ces derniers, ils avaient été faits à la va-vite. Les visiteurs ne s'étaient pas attardés en ces lieux. Les empreintes (plus de cinq cents en tout) semblaient corroborer cette remarque. Elles appartenaient à peu de personnes, seulement trois enfants et deux adultes.

En fait, nous avons découvert au terme d'études minutieuses qu'elles devaient être très postérieures à la réalisation des peintures. Les datations de charbons au sol ou de marques de torches, auxquelles nous avons fait procéder par le Laboratoire des Faibles radioactivités de Gif-sur-Yvette, le confirmèrent. Plusieurs passages, espacés de plusieurs milliers d'années, avaient eu lieu après la réalisation des dessins. Les torches utilisées étaient faites de pin sylvestre. Au cours de certains de ces passages, des visiteurs avaient fait de la musique en tapant sur des draperies très fines. Plusieurs furent brisées.

Quant au squelette du petit animal, il appartenait à une fouine, dont nous avons retrouvé et suivi les traces : elle s'était introduite dans une galerie haute par une fissure, était tombée dans la Salle des Peintures, avait désespérément cherché son chemin et était partie vers Niaux. Elle avait franchi les premières poches d'eau, peut-être alors à sec, et était morte entre les Lacs 2 et 3. Une datation radiocarbone montra que cet événement était arrivé des milliers d'années après la réalisation des dessins. C'eût été une belle histoire, mais il fallut se rendre à l'évidence : la fouine n'avait rien à voir avec le mustélidé représenté.

Ce bref résumé de nos travaux et de nos découvertes dans le Réseau Clastres montre la difficulté de l'entreprise lorsque l'on s'efforce de comprendre ce qu'ont fait les Magdaléniens ou leurs prédécesseurs dans une caverne ornée, et combien nos premières impressions peuvent être trompeuses.

À l'époque de ces études, je n'envisageais même pas de me poser la question de la signification des dessins, ni dans quel cadre conceptuel ils avaient été conçus et réalisés. Mes préoccupations restaient beaucoup plus terre à terre : qu'y avait-il exactement comme traces (dessins, empreintes, charbons, mouchages de torche) et de quand dataient-elles ? Nous avons dû revenir dans la grotte en 1989, c'est-à-dire dix-sept ans après, pour faire certaines découvertes, telles que les bris sélectifs de draperie, ou le déplacement et le dépôt de concrétions dans des recoins. Nous avions alors pris de l'expérience et faisions en conséquence des observations qui nous avaient au premier abord échappé.

Ce n'est que plus tard que sont venues les questions sur le pourquoi de l'art et des actions qui l'accompagnèrent, après que j'eus étudié, le plus souvent en équipe, plusieurs autres grottes ornées (Le Placard, Le Travers de Janoye, Mayrière supérieure, Niaux, Le Tuc d'Audoubert et surtout Cosquer et Chauvet). Ce sont elles qui m'ont conduit à écrire le présent ouvrage qui en retrace la genèse, le développement et l'aboutissement.

Est-ce à dire que l'hypothèse chamanique, qui paraît actuellement être celle qui rend le mieux compte des faits établis sur l'art paléolithique, serait une révolution conceptuelle qui expliquerait l'art paléolithique en faisant litière des autres théories avancées au cours du XXe siècle et en s'y substituant ? Évidemment non. S'agissant d'un cadre assez large pour une réalité dont la complexité ne saurait échapper[1], toutes y trouvent leur part.

Si les Paléolithiques ne pratiquaient pas l'art pour l'art, ils recherchaient de toute évidence une qualité esthétique dans leur rendu des animaux qui est exceptionnelle dans l'art rupestre mondial. Étant donné que l'on retrouve cette excellence du début (Chauvet) à la fin (Niaux), il faut croire que le naturalisme des animaux représentés, l'exactitude de leurs proportions, l'effet visuel recherché jouaient un rôle non négligeable dans leurs croyances, dans leurs rites et dans l'efficacité de ces derniers. Cela implique, nous l'avons vu, le choix de personnes initialement douées pour le dessin et qui suivirent par la suite un enseignement et une formation.

Quant au totémisme, on sait qu'il n'exclut en rien le chamanisme. Les Kwakiutl de l'ouest canadien, totémistes par excellence et célèbres pour leurs spectaculaires totems sculptés de figures mythiques, pratiquaient le chamanisme (Rosman et Ruebel

1. Au sujet de la complexité et de la diversité des croyances et pratiques chamaniques, malgré leur fondamentale unité, on consultera utilement les deux remarquables volumes collectifs, encyclopédiques, consacrés aux cultures chamaniques sur les cinq continents (Walter et Fridman 2004).

1990). Il en était de même de certaines cultures aborigènes en Australie, où le totémisme est très répandu mais qui s'adonnaient également à des formes de chamanisme (Hume 2004)[1]. Au sein d'une même communauté, plusieurs clans, voire diverses personnes, peuvent chacun avoir son totem, ce qui expliquerait la diversité des espèces représentées, comme la prédominance occasionnelle de certaines.

La magie de la chasse a naturellement sa place dans le chamanisme, sous des formes diverses. Elle ne saurait tout expliquer et, en conséquence, elle a fait long feu en tant que tentative globale d'interprétation. En revanche, on sait, par de multiples exemples ethnographiques, que des cérémonies ayant pour but de favoriser la chasse sont toujours organisées par les peuples chasseurs. Plutôt que d'un envoûtement au sens strict, qui implique une contrainte, il s'agit de persuader l'animal, ou le Maître des Animaux, de se livrer au chasseur ou de lui permettre de se donner à lui. La différence est fondamentale entre la magie qui contraint et la pratique chamanique qui négocie et persuade les puissances de l'au-delà. En revanche, le pouvoir de l'image postulé dans la théorie ancienne, de même que le concept de la réalisation, dans certains cas,

1. Cf. aussi Lommel 1997, qui fut le témoin de cérémonies chamaniques lorsqu'il passa quatre mois, en 1938, chez les Wunambal du Kimberley australien.

du dessin pour lui-même, sont bien des concepts qui se trouvent dans les cultures chamaniques.

Le structuralisme, proposé par Max Raphael, Annette Laming-Emperaire et André Leroi-Gourhan, se situe dans un autre registre de compréhension des images, puisqu'il s'agit de leur organisation au sein de la caverne et non de leur signification. C'est plutôt le « comment ? » qui trouve une réponse que le « pourquoi ? ». Il va de soi que la répartition des animaux et des signes en fonction d'eux-mêmes et des particularités physiques des grottes ne sont pas incompatibles avec une conception chamanique de l'univers et les mises en œuvre, forcément structurées, qu'elle implique.

Enfin, on a parfois voulu opposer « les mythes » à l'hypothèse chamanique, ce qui est une façon d'évacuer le problème. La liaison intime des représentations pariétales aux mythes serait « la plus apte à rendre compte de la cohérence interne de l'art pariétal » (Sauvet et Tosello 1998, p. 89)[1]. Des mythes font d'évidence partie de toutes les croyances chamaniques. Ils variaient nécessairement avec le temps et selon les régions, nous l'avons vu, et il en était de même des images. Que les animaux et les signes peints ou gravés sur les parois soient issus

1. Yvette Taborin, à la suite de la parution de notre ouvrage *Les Chamanes de la Préhistoire* (Clottes et Lewis-Williams 1996), fut beaucoup plus péremptoire dans une entrevue journalistique : « On peut seulement dire que l'art des grottes raconte une mythologie. Le reste est imagination. » (*La Croix*, 20 décembre 1996)

de mythes est donc des plus vraisemblables.[1] Ce qui l'est beaucoup moins serait l'hypothèse que l'art des cavernes se réduirait à la simple représentation de mythes, car nous nous heurtons là à plusieurs contradictions majeures avec les faits établis : les dessins réalisés pour eux-mêmes dans des recoins ; le relativement petit nombre et surtout la faible fréquentation des cavités profondes[2], faits incompatibles avec certains des rôles majeurs des mythes (transmission des connaissances sacrées, renforcement de la cohésion sociale) qui impliquent participants et spectateurs plus ou moins nombreux aux cérémonies.

L'art pariétal des temps glaciaires et les croyances qui ont occasionné sa réalisation telle que nous la connaissons ne sauraient se réduire à une explication simple, quelle qu'elle soit. Nous avons affaire à des sociétés pleinement humaines, c'est-à-dire forcément complexes, qui s'efforçaient de comprendre le monde à leur manière et d'en tirer parti au mieux. Leur originalité tient à l'exploitation qu'elles firent du milieu souterrain, où leurs œuvres et leurs traces se sont conservées infiniment plus et mieux qu'à l'extérieur. Elles avaient vraisemblablement des croyances de type chamanique. C'est là un

1. Cf. chapitre III, où cet aspect a été longuement développé.

2. Cet aspect a été discuté dans le chapitre III, à propos de l'attitude à l'égard des grottes. Voir aussi, pour de plus amples détails, Clottes et Lewis-Williams 2007, p. 215.

cadre explicatif très large. Il ne saurait expliquer le détail des représentations et leur signification précise, mais il rend compte d'une multitude d'observations qui le rendent crédible et il s'insère harmonieusement dans la panoplie des religions humaines.

En définitive, si nous n'avons que peu de certitudes, avec prudence et en nous appuyant sur ce qui est connu et ce qui est vraisemblable, nous approchons un peu mieux, me semble-t-il, ces lointains chasseurs du Paléolithique et nous commençons à distinguer leurs vagues silhouettes s'agitant et vivant leurs vies courtes et précaires, mais riches et toujours complexes, dans une brume un peu moins épaisse.

APPENDICES

Remerciements

J'adresse mes plus chaleureux remerciements à tous ceux qui m'ont aidé dans ma longue quête. D'abord aux représentants de peuples traditionnels avec lesquels j'ai eu la bonne fortune de m'entretenir et qui m'ont beaucoup appris, par leurs récits et par leurs attitudes. Ensuite à mes collègues qui m'ont fait visiter tant de sites ornés sur tous les continents et m'ont fait partager leurs connaissances de patrimoines et de cultures qu'ils connaissent mieux que quiconque.

Mon ami Bill Wirthlin, ancien Président de la Leakey Foundation, m'a fortement incité à écrire mes expériences et le fruit des réflexions qu'elles m'ont inspiré. La genèse de ce travail lui doit beaucoup.

Je remercie aussi Yanik Le Guillou et notre guide sibérien Konstantin Wissotskiy qui m'ont donné certaines des images publiées dans ce livre.

Enfin, Françoise Peyrot qui me prodigua tant de conseils lors de l'écriture de précédents ouvrages, ma fille Isabelle Pébay-Clottes, et particulièrement Éric Vigne, éditeur chez Gallimard, m'ont fait nombre de remarques pertinentes et de suggestions à la lecture du manuscrit, revu attentivement par Benoit Farcy et Sylvie Simon, ce dont je leur suis très reconnaissant.

Tous mes remerciements aussi aux Éditions Gallimard

qui m'ont permis de faire partager les résultats d'une longue vie de recherche sur le thème fascinant de l'art des temps glaciaires.

Bibliographie

ALDENDERFER, Mark (2005), « Caves as Sacred Places on the Tibetan Plateau », *Expedition*, (University of Pennsylvania Museum of Archaeology and Anthropology), 47, 3, p. 8-13.

ANATI, Emmanuel (1989), *Les Origines de l'art et la formation de l'esprit humain*, Paris, Albin Michel.

ANATI, Emmanuel (1999), *La Religion des Origines*, Paris, Bayard.

L'Art des Cavernes. Atlas des grottes ornées paléolithiques françaises (1984), Paris, Imprimerie nationale / ministère de la Culture.

ATKINSON, Jane Monnig (1992), « Shamanisms Today », *Annual Review of Anthropology*, 21, p. 307-330.

AUJOULAT, Norbert (2004), *Lascaux. Le geste, l'espace et le temps*, Paris, Le Seuil, coll. Arts rupestres. Édition anglaise : *The Splendour of Lascaux. Rediscovering the Greatest Treasure of Prehistoric Art*, Londres, Thames & Hudson, 2005.

AZÉMA, Marc et CLOTTES, Jean (2008), « Traces de doigts et dessins dans la grotte Chauvet (Salle du Fond)/Traces of finger marks and drawings in the Chauvet Cave (Salle du Fond) », *INORA*, 52, p. 1-5.

BAFFIER, Dominique et FERUGLIO, Valérie (1998), « Premières observations sur deux nappes de ponctuations de la grotte Chauvet (Vallon-Pont-d'Arc, Ardèche, France) », *INORA*, 21, p. 1-4.

BAHN, Paul G. (1998), *The Cambridge Illustrated History of Prehistoric Art*, Cambridge, Cambridge University Press.

BANDI, Hans-Georg (1988), « Mise bas et non défécation. Nouvelle interprétation de trois propulseurs magdaléniens sur des bases zoologiques, éthologiques et symboliques », *Espacio, Tiempo y Forma*, Serie I, Prehistoria, vol. 1, p. 133-147.

BARRIÈRE, Claude (1984), « Grotte de Gargas », in *L'Art des Cavernes. Atlas des grottes ornées paléolithiques françaises*, Paris, Imprimerie nationale / ministère de la Culture, p. 514-522.

BEDNARIK, Robert G. (1995), « Concept-mediated marking in the Lower Palaeolithic », *Current Anthropology*, 36, 4, p. 605-634.

BEDNARIK, Robert G. (2003a), « A figurine from the African Acheulian », *Current Anthropology*, 44, 3, p. 405-413.

BEDNARIK, Robert G. (2003b), « The earliest evidence of Palaeoart », *Rock Art Research*, 20, 2, p. 89-135.

BEDNARIK, Robert G. (2003c), « Ethnographic interpretation of Rock Art », http://mc2.vicnet.net.au/home/interpret/web/ethno.html

BÉGOUËN, Henri (1912), « Les statues d'argile de la Caverne du Tuc d'Audoubert (Ariège) », *L'Anthropologie*, XXIII, p. 657-665.

BÉGOUËN, Henri (1924), « La magie aux temps préhistoriques », *Mémoires de l'Académie des Sciences, Inscriptions et Belles-lettres de Toulouse*, 12e série, t. II, p. 417-432.

BÉGOUËN, Henri (1939), « Les bases magiques de l'art préhistorique », *Scientia*, 4e série, 33e année, t. LXV, p. 202-216.

BÉGOUËN, Robert et CLOTTES, Jean (1981), « Apports mobiliers dans les cavernes du Volp (Enlène, Les Trois-Frères, Le Tuc d'Audoubert) », in *Altamira Symposium, Madrid-Asturias-Santander, 15-21 octobre 1979*, Universidad complutense de Madrid, Instituto Español de Prehistoria, p. 157-187.

BÉGOUËN, Robert et CLOTTES, Jean (2008), « Douze nouvelles plaquettes gravées d'Enlène », *Espacio, tiempo y forma*, Serie I, Nueva época. Prehistoria y arqueología, vol. 1, p. 77-92.

BÉGOUËN, Robert, CLOTTES, Jean, GIRAUD, Jean-Pierre, ROUZAUD, François (1993), « Os plantés et peintures rupestres dans la caverne d'Enlène », *in* DELPORTE, Henri et CLOTTES, Jean (dir.), *Pyrénées préhistoriques. Arts et Sociétés*, Actes du 118e Congrès national des Sociétés historiques et scientifiques, octobre 1993, Pau, p. 283-306.

BÉGOUËN, Robert, FRITZ, Carole, TOSELLO, Gilles, CLOTTES, Jean, PASTOORS, Andreas, FAIST, François (2009), *Le Sanctuaire secret des bisons. Il y a 14 000 ans dans la caverne du Tuc d'Audoubert*, Paris, Somogy.

BERNDT, Ronald Murray et BERNDT, Catherine Helen (1992), *The World of the First Australians. Aboriginal Traditional Life, Past and Present*, Canberra, Aboriginal Studies Press, nouv. éd. revue et corrigée (1re éd. 1962).

BONSALL, Clive et TOLAN-SMITH, Christopher (dir.) (1997), *The Human Use of Caves*, Oxford, BAR [British Archaeological Reports] International Series 667.

BRADY, James Edward (1988), « The sexual connotation of caves in Mesoamerican ideology », *Mexicon* 1, 93, p. 51-55.

BRADY, James Edward et RISSOLO, Dominique (2005), « A reappraisal on Ancient Maya cave mining », *Journal of Anthropological Research*, 62, 4, p. 471-490.

BRADY, James Edward, SCOTT, Ann, NEFF, Hector, GLASCOCK, Michael D. (1997), « Speleothem breakage, movement, removal, and caching : an aspect of Ancient Maya cave modification », *Geoarchaeology : an International Journal*, 12, 6, p. 725-750.

BREUIL, Henri (1952), *Quatre cents siècles d'art pariétal. Les cavernes ornées de l'Âge du Renne*, Montignac, Centre d'études et de documentation préhistoriques.

BRODY, Jerry J. (1990), *The Anasazi. Ancient Indian people of the American South West*, New York, Rizzoli.

CAMPS, Gabriel (1984), « La défécation dans l'art paléolithique », *in* BANDI, Hans-Georg, HUBER, Walter, SAUTER, Marc-Roland, SITTER, Beat (dir.), *La Contribution de la zoologie et de l'éthologie à l'interprétation de l'art des peuples chasseurs préhistoriques*, Colloque de Sigriswill (Suisse), 1979, Fribourg, Éditions universitaires, p. 251-262.

CARTAILHAC, Émile (1902), « La grotte ornée d'Altamira (Espagne) : Mea culpa d'un sceptique », *L'Anthropologie*, 13, p. 348-354.

CÉLESTIN-LHOPITEAU, Isabelle (2009), « Témoignage sur l'utilisation actuelle de l'art rupestre par un chamane bouriate en Sibérie (Fédération de Russie) », *INORA*, 53, p. 25-30.

CÉLESTIN-LHOPITEAU, Isabelle (dir.) (2011), *Changer par la thérapie*, Paris, Dunod.

CHAKRAVARTY, Kalyan Kumar et BEDNARIK, Robert G. (1997), *Indian Rock Art and its Global Context*, Delhi, Motilal Banarsidass Publishers and Indira Gandhi Rashtriya Manav Sangrahalaya.

CHALOUPKA, George (1992), *Burrunguy. Nourlangie Rock*, Northart.

CHAUMEIL, Jean-Pierre (1999), « Les visions des chamanes d'Amazonie », *Sciences Humaines*, 97, p. 42-45.

CLOTTES, Jean (1993), « La Naissance du sens artistique », *Revue des Sciences Morales et Politiques*, p. 173-184.

CLOTTES, Jean (1997), « Art of the Light and Art of the Depths », *in* CONKEY, Margaret W., SOFFER, Olga, STRATMANN, Deborah, JABLONSKI, Nina G. (dir.) *Beyond Art. Pleistocene Image and Symbol*, University of California Press, Memoirs of the California Academy of Sciences 23, p. 203-216.

CLOTTES, Jean (1998), « La Piste du chamanisme », *Le Courrier de l'Unesco*, avril 1998, p. 24-28.

CLOTTES, Jean (1999), « De la Transe à la trace… Les chamanes des cavernes », *in* AÏN, Joyce (dir.), *Survivances. De la destructivité à la créativité*, Ramonville-Saint-Agne, Éditions Érès, p. 19-32.

CLOTTES, Jean (2000a), *Grandes girafes et fourmis vertes. Petites histoires de préhistoire*, Paris, La Maison des roches.

CLOTTES, Jean (2000b), « Une nouvelle image de la grotte ornée », *La Recherche*, hors série n° 4, novembre, p. 44-51.

CLOTTES, Jean (2000c), *Le Musée des Roches. L'art rupestre dans le monde,* Paris, Éditions du Seuil.

CLOTTES, Jean (2001a), « Le thème mythique du faon à l'oiseau dans le Magdalénien pyrénéen », *Préhistoire ariégeoise, Bulletin de la Société préhistorique Ariège-Pyrénées,* LVI, p. 53-62.

CLOTTES, Jean (2001b), « Paleolithic art in France », *Adoranten*, Scandinavian Society for Prehistoric Art, p. 5-19.

CLOTTES, Jean (2003a), « De "l'art pour l'art" au chamanisme : l'interprétation de l'art préhistorique », *La Revue pour l'Histoire du CNRS*, 8, p. 44-53.

CLOTTES, Jean (2003b), « L'Art pariétal, ces dernières années, en France », *in* DESBROSSE, René et THÉVENIN, André (dir.), *Préhistoire de l'Europe. Des origines à l'Âge du Bronze*, Actes des Congrès nationaux des Sociétés historiques et scientifiques 125 (Colloque « L'Europe préhistorique », Lille, 2000), Paris, Éditions du CTHS, p. 77-94.

CLOTTES, Jean (2003c), « Chamanismo en las cuevas paleolíticas », *El Catoblepas*, 21, novembre 2003, p. 1-8.

CLOTTES, Jean (2003d), *Passion Préhistoire*, Paris, La Maison des roches.

CLOTTES, Jean (2004a), « Le cadre chamanique de l'art des cavernes », *Recueil de l'Académie de Montauban*, nouvelle série, t. V, p. 119-125.

CLOTTES, Jean (2004b), « Le chamanisme paléolithique : fondements d'une hypothèse », *in* OTTE, Marcel (dir.), *La Spiritualité,* Actes du colloque de la Commission 8 de l'UISPP, Liège, 10-12 décembre 2003, *ERAUL*, 106, p. 195-202.

CLOTTES, Jean (2004c), « Hallucinations in Caves », *Cambridge Archaeological Journal*, 14, 1, p. 81-82.

CLOTTES, Jean (2004d), « Du nouveau à Niaux », *Bulletin de la Société Préhistorique Ariège-Pyrénées*, LIX, p. 109-116.

CLOTTES, Jean (2005a), « Shamanic Practices in the Painted Caves of Europe », *in* HARPER, Charles L. (dir.), *Spiritual Information. 100 Perspectives on Science and Religion*, West Conshohocken, Templeton Foundation Press, p. 279-285.

CLOTTES, Jean (2005b), « Rock Art and Archaeology in India », Bradshaw Foundation website, World Rock Art, http://www.bradshawfoundation.com

CLOTTES, Jean (2006), « Spirituality and Religion in Paleolithic Times », in *The Evolution of Rationality. Interdisciplinary Essays in Honor of J. Wentzel van Huyssteen*, Grand Rapids (Michigan)/Cambridge (England), Wm. Eerdmans, p. 133-148.

CLOTTES, Jean (2007a), « Un geste paléolithique dans les grottes ornées : os et silex plantés », *in* DESBROSSE, René et THÉVENIN, André (dir.), *Arts et cultures de la Préhis-*

toire. *Hommage à Henri Delporte*, Paris, Éditions du CTHS, p. 41-54.

CLOTTES, Jean (2007b), « Du chamanisme à l'Aurignacien ?/Schamanismus im Aurignacien ? », *in* FLOSS, Harald et ROUQUEROL, Nathalie (dir.), *Les Chemins de l'art aurignacien en Europe/Das Aurignacien und die Anfänge der Kunst in Europa,* Colloque international/Internationale Fachtagung, Aurignac, 16-18 septembre 2005, Aurignac, Éditions Musée-forum d'Aurignac, p. 435-449.

CLOTTES, Jean (2007c), « El Chamanismo paleolítico : Fundamentos de una hipótesis », *Veleia,* 24-25, p. 269-284.

CLOTTES, Jean (2008), *L'Art des cavernes préhistoriques*, Paris, Phaidon ; nouv. éd. 2010. Édition anglaise : *Cave Art*, Londres, Phaidon, 2008 et 2010.

CLOTTES, Jean (2009), « Sticking bones into cracks in the Upper Palaeolithic », *in* RENFREW, Colin et MORLEY, Iain, *Becoming Human. Innovation in Prehistoric Material and Spiritual Culture*, Cambridge, Cambridge University Press, p. 195-211.

CLOTTES, Jean (2010a), *Les Cavernes de Niaux. Art préhistorique en Ariège-Pyrénées*, Paris, Éditions Errance.

CLOTTES, Jean (2010b), « Les Mythes », *in* OTTE, Marcel (dir.), *Les Aurignaciens*, Paris, Éditions Errance, p. 237-251.

CLOTTES, Jean et COURTIN, Jean (1994), *La Grotte Cosquer. Peintures et gravures de la caverne engloutie*, Paris, Éditions du Seuil.

CLOTTES, Jean, COURTIN, Jean, VANRELL, Luc (2005a), *Cosquer redécouvert,* Paris, Éditions du Seuil.

CLOTTES, Jean, COURTIN, Jean, VANRELL, Luc (2005b), « Images préhistoriques et "médecines" sous la mer », *INORA*, 42, p. 1-8.

CLOTTES, Jean et DELPORTE, Henri (dir.) (2003), *La Grotte de La Vache (Ariège)*, t. I, *Les Occupations du Magda-*

lénien, t II, *L'Art mobilier*, Paris, Éditions de la Réunion des Musées nationaux et du Comité des Travaux historiques et scientifiques.

CLOTTES, Jean, GARNER, Marilyn, MAURY, Gilbert (1994), « Bisons magdaléniens des cavernes ariégeoises », *Préhistoire ariégeoise, Bulletin de la société préhistorique Ariège-Pyrénées,* XLIX, 1994, p. 15-49.

CLOTTES, Jean et LEWIS-WILLIAMS, David (1996), *Les Chamanes de la Préhistoire. Transe et magie dans les grottes ornées*, Paris, Éditions du Seuil.

CLOTTES, Jean et LEWIS-WILLIAMS, David (1997a), « Les chamanes des cavernes », *Archéologia*, 336, p. 30-41.

CLOTTES, Jean et LEWIS-WILLIAMS, David (1997b), « Transe ou pas transe : réponse à Roberte Hamayon », *Nouvelles de l'Archéologie*, 69, p. 45-47.

CLOTTES, Jean et LEWIS-WILLIAMS, David (2000), « Chamanisme et art pariétal paléolithique : réponse à Yvette Taborin », *Archéologia*, 338, p. 6-7.

CLOTTES, Jean et LEWIS-WILLIAMS, David (2001a), *Les Chamanes de la Préhistoire. Texte intégral, polémiques et réponses*, Paris, La Maison des roches.

CLOTTES, Jean et LEWIS-WILLIAMS, David (2001b), « After the *Shamans of Prehistory* : Polemics and Responses », *in* KEYSER, James D., POETSCHAT, George, TAYLOR, Michael W. (dir.), *Talking with the Past. The Ethnography of Rock Art*, Portland, The Oregon Archaeological Society, p. 100-142.

CLOTTES, Jean et LEWIS-WILLIAMS, David (2007), *Les Chamanes de la Préhistoire* suivi de « Après *Les Chamanes*, polémiques et réponses », Paris, Éditions du Seuil, coll. Points Histoire.

CLOTTES, Jean et LEWIS-WILLIAMS, David (2009), « Palaeolithic art and religion », *in* HINNELLS, John R. (dir.), *The Penguin Handbook of Ancient Religions*, Londres, Penguin Reference Library, p. 7-45.

CLOTTES, Jean, ROUZAUD, François, WAHL, Luc (1984), « Grotte de Fontanet », in *L'Art des Cavernes. Atlas des grottes ornées paléolithiques françaises*, Paris, Ministère de la Culture-Imprimerie nationale, p. 433-437.

CLOTTES, Jean et SIMONNET, Robert (1972), « Le Réseau René Clastres de la caverne de Niaux (Ariège) », *Bulletin de la Société préhistorique française,* 69, 1, p. 293-323.

CLOTTES, Jean et SIMONNET, Robert (1990), « Retour au Réseau Clastres », *Bulletin de la Société préhistorique Ariège-Pyrénées,* XLV, p. 51-139.

COHEN, Claudine (2003), *La Femme des origines. Images de la femme dans la préhistoire occidentale*, Paris, Éditions Belin-Herscher.

COLLINA-GIRARD, Jacques (1998), *Le Feu avant les allumettes*, Paris, Éditions de la Maison des sciences de l'homme.

CONARD, Nicholas J. (2003), « Palaeolithic ivory sculptures from southwestern Germany and the origins of figurative art », *Nature*, 426, p. 380-382.

DAUVOIS, Michel et BOUTILLON, Xavier (1994), « Caractérisation acoustique des grottes ornées paléolithiques et de leurs lithophones naturels/Acoustical characterizings of orned Palaeolithic caves and their natural lithophones », in *La Pluridisciplinarité en archéologique musicale*, IVe Rencontres internationales d'archéologie musicale de l'ICTM (Saint-Germain-en-Laye, octobre 1990), Centre français d'archéologie musicale, p. 209-251.

DELPORTE, Henri (1984), *Archéologie et réalité. Essai d'approche épistémologique*, Paris, Picard.

DELPORTE, Henri (1990), *L'Image des animaux dans l'art préhistorique*, Paris, Picard.

DEMOULE, Jean-Paul (1997), « Images préhistoriques, rêves de préhistoriens », *Critique*, 606, p. 853-870.

D'ERRICO, Francesco et NOWELL, April (2000), « A new look at the Berekhat Ram figurine : implications for the origins of symbolism », *Cambridge Archaeological Journal,* 10, 1, p. 123-167.

ELIADE, Mircea (1951), *Le Chamanisme et les techniques archaïques de l'extase*, Paris, Payot.

FAGE, Luc-Henri et CHAZINE, Jean-Michel (2009), *Bornéo, la mémoire des grottes*, préface par Jean Clottes, Lyon, Fage Éditions.

FAULKNER, Charles H. (1988), « A study of seven southern glyph caves », *North American Archaeologist*, 9, 3, p. 223-246.

FAULKNER, Charles H. (1997), « Four thousand years of Native American cave art in the southern Appalachians », *Journal of Cave and Karst Studies*, 59, 3, p. 148-153.

FÉNIES, Jacques (1965), *Spéléologie et médecine*, Paris, Masson, Collection de médecine légale et de toxicologie médicale.

FRANÇOIS, Damien et LENNARTZ, Anton J. (2007), « Les croyances des Indiens d'Amérique du Nord », *Religions et Histoire*, 12, p. 78-87.

GARCIA, Michel-Alain (2001, 2010), « Les empreintes et les traces humaines et animales », *in* CLOTTES, Jean (dir.), *La Grotte Chauvet. L'art des origines*, Paris, Éditions du Seuil, p. 34-43.

GARFINKEL, Alan P., AUSTIN, Donald R., EARLE, David, WILLIAMS, Harold (2009), « Myth, ritual and rock art : Coso decorated animal-humans and the Animal Master », *Rock Art Research,* 26, 2, p. 179-197.

GOULD, Stephen Jay (1998), « The Sharp-eyed Lynx, outfoxed by Nature », *Natural History*, 6/98, p. 23-27, p. 69-73.

GROENEN, Marc (1994), *Pour une histoire de la Préhistoire. Le Paléolithique*, Grenoble, Jérôme Millon.

GUTHRIE, Russell Dale (1984), « Ethological observations from Paleolithic art », *in* BANDI, Hans-Georg, HUBER, Walter, SAUTER, Marc-Roland, SITTER, Beat (dir.), *La Contribution de la zoologie et de l'éthologie à l'interprétation de l'art des peuples chasseurs préhistoriques*, Colloque de Sigriswill (Suisse), 1979, Fribourg, Éditions universitaires, p. 35-74.

GUTHRIE, Russell Dale (2005), *The Nature of Paleolithic Art*, Chicago, The University of Chicago Press.

HALIFAX, Joan (1982), *Shamanism : the Wounded Healer*, New York, Crossroad.

HALVERSON, John (1987), « Art for Art's Sake in the Paleolithic », *Current Anthropology*, 28, 1, p. 63-89.

HEMPEL, Carl Gustav (1966), *Philosophy of Natural Science*, Englewood Cliffs, Prentice Hall.

HAMAYON, Roberte (1990), *La Chasse à l'âme. Esquisse d'une théorie du chamanisme sibérien*, Paris, Société d'ethnologie, université Paris X.

HAMAYON, Roberte (1995), « Le chamanisme sibérien : réflexion sur un médium », *La Recherche,* 275, 26, p. 416-421.

HAMAYON, Roberte (1997), « La "transe" d'un préhistorien : à propos du livre de Jean Clottes et David Lewis-Williams », *Les Nouvelles de l'Archéologie*, 67, p. 65-67.

HENSHILWOOD, Christopher S., D'ERRICO, Francesco, YATES, Royden, JACOBS, Zenobia, TRIBOLO, Chantal, DULLER, Geoff A. T., MERCIER, Norbert, SEALY, Judith C., VALLADAS, Helene, WATTS, Ian, WINTLE, Ann G. (2002), « Emergence of modern human behavior : Middle Stone Age engravings from South Africa », *Science*, 295, p. 1278-1280.

HENSHILWOOD, Christopher S. (2006), « Modern humans and symbolic behaviour : Evidence from Blombos Cave, South Africa », *in* BLUNDELL, Geoffrey (dir.), *Origins.*

The Story of the Emergence of Humans and Humanity in Africa, Cape Town, Double Storey Books, p. 78-83.

HEYD, Thomas et CLEGG, John (dir.) (2005), *Aesthetics and Rock Art,* introduction de Jean Clottes, Burlington, Ashgate.

HILL, Carol A. et FORTI, Paolo (dir.) (1997), *Cave Minerals of the World*, introduction de Trevor R. Shaw, Huntsville, National Speleological Society.

HODGSON, Derek (2008), « The Visual Dynamics of Upper Palaeolithic Art », *Cambridge Archaeological Journal*, 18, p. 341-353.

HUME, Lynne (2004), « Australian aboriginal shamanism », *in* WALTER, Mariko Namba et FRIDMAN, Eva Jane Neumann (dir.), *Shamanism. An Encyclopedia of World Beliefs, Practices and Culture*, Santa Barbara, ABC-CLIO, t. II, p. 860-865.

HUMPHREY, Nicholas (1998), « Cave Art, Autism, and the Evolution of the Human Mind », *Cambridge Archaeological Journal*, 8, 2, p. 165-191.

ILIÈS, Sidi Mohamed (2003), *Contes du désert*, préface et textes recueillis par Jean Clottes, illustré par Laurent Corvaisier, Paris, Éditions du Seuil.

JANKÉLÉVITCH, Vladimir (1994), *Penser la mort ?*, Paris, Éditions Liana Levi.

KUMAR, Giriraj (1992), « Rock Art of Upper Chambal Valley. Part II : Some observations », *Purakala*, 3, p. 56-67.

LA BARRE, Weston (1972), « Hallucinogens and the shamanic origin of religion », *in* FURST, Peter T. (dir.), *Flesh of the Gods. The Ritual Use of Hallucinogens*, Londres, George Allen & Unwin, p. 261-278.

LAMING-EMPERAIRE, Annette (1962), *La Signification de l'art rupestre paléolithique*, Paris, Picard.

LARTET, Édouard et CHRISTY, Henry (1864), « Sur des figures d'animaux gravés ou sculptés et autres produits d'art et d'industrie rapportables aux temps primordiaux de la période humaine », *Revue archéologique*, IX, p. 233-267.

LEE, Georgia (1992), *The Rock Art of Easter Island. Symbols of Power, Prayers to the Gods*, Los Angeles, UCLA Institute of Archaeology.

LEE, Richard Borshay (1979), *The !Kung San, Men, Women and Work in a Foraging Society*, Cambridge, Cambridge University Press.

LE GUILLOU, Yanik (2001), « La Vénus du Pont-d'Arc », *INORA*, 24, p. 1-5.

LEMAIRE, Catherine (1993), *Rêves éveillés. L'âme sous le scalpel*, Paris, Les Empêcheurs de penser en rond.

LEMOZI, Amédée (1929), *La Grotte-Temple du Pech-Merle. Un nouveau sanctuaire préhistorique*, préface de l'abbé Henri Breuil, Paris, Picard.

LENSSEN-ERZ, Tilman (2008), « L'espace et le discours dans la signification de l'art rupestre — un exemple de Namibie », *Préhistoire, Art et Sociétés, Bulletin de la Société Préhistorique Ariège-Pyrénées*, LXIII, p. 159-169.

LE QUELLEC, Jean-Loïc (2009), *Des Martiens au Sahara*, Paris, Actes Sud/Errance.

LEROI-GOURHAN, André (1964), *Les Religions de la Préhistoire*, Paris, Presses universitaires de France.

LEROI-GOURHAN, André (1965), *Préhistoire de l'art occidental*, Paris, Mazenod.

LEROI-GOURHAN, André (1967), « Les mains de Gargas. Essai pour une étude d'ensemble », *Bulletin de la Société préhistorique française*, LXIX, 1, p. 107-122.

LEROI-GOURHAN, André (1974-1975), « Résumé des cours de 1974-1975 », Annuaire du Collège de France, 75e année, p. 387-403.

LEROI-GOURHAN, André (1976-1977), « Résumé des cours de 1976-1977 », Annuaire du Collège de France, 77e année, p. 489-501.

LEROI-GOURHAN, André (1977), « Le préhistorien et le chamane », *L'Ethnographie*, 74-75, numéro spécial *Études chamaniques*, p. 19-25.

LEROI-GOURHAN, André (1980), « Les débuts de l'art », in *Les Processus de l'hominisation. L'évolution humaine, les faits, les modalités*, Colloques internationaux du CNRS 599, p. 131-132.

LEROI-GOURHAN, André (1982), *The Dawn of European Art. An Introduction to Palaeolithic Cave Painting*, Cambridge, Cambridge University Press.

LEROI-GOURHAN, André (1984), « Le réalisme de comportement dans l'art paléolithique de l'Europe de l'Ouest », *in* BANDI, Hans-Georg, HUBER, Walter, SAUTER, Marc-Roland, SITTER, Beat (dir.), *La Contribution de la zoologie et de l'éthologie à l'interprétation de l'art des peuples chasseurs préhistoriques*, Colloque de Sigriswill (Suisse), 1979, Fribourg, Éditions universitaires, p. 75-90.

LEWIS-WILLIAMS, David (1997), « Prise en compte du relief naturel des surfaces rocheuses dans l'art pariétal sud-africain et paléolithique ouest-européen : étude culturelle et temporelle croisée de la croyance religieuse », *L'Anthropologie*, 101, p. 220-237.

LEWIS-WILLIAMS, David (2002), *The Mind in the Cave*, Londres, Thames & Hudson.

LEWIS-WILLIAMS, David (2003), *L'Art rupestre en Afrique du Sud. Mystérieuses images du Drakensberg*, Paris, Éditions du Seuil.

LEWIS-WILLIAMS, David (2010), *San Spirituality : Roots, Expression and Social Consequences*, Lanham, AltaMira Press.

LEWIS-WILLIAMS, David et CLOTTES, Jean (1996), « Upper Palaeolithic Cave Art : French and South African collaboration », *Cambridge Archaeological Journal*, 6, 1, p. 137-139.

LEWIS-WILLIAMS, David et CLOTTES, Jean (1998a), « Shamanism and Upper Palaeolithic art : a response to Bahn », *Rock Art Research*, 15, 1, p. 46-50.

LEWIS-WILLIAMS, David et CLOTTES, Jean (1998b), « The Mind in the Cave — the Cave in the Mind : altered consciousness in the Upper Paleolithic », *Anthropology of Consciousness*, 9, 1, p. 12-21.

LEWIS-WILLIAMS, David et DOWSON, Thomas A. (1988), « The signs of all times. Entoptic phenomena in Upper Palaeolithic art », *Current Anthropology*, 29, 2, p. 201-245.

LEWIS-WILLIAMS, David et DOWSON, Thomas A. (1990), « Through the veil : San rock paintings and the rock face », *South African Archaeological Bulletin*, 45, p. 55-65.

LEWIS-WILLIAMS, David et PEARCE, David G. (2004), *San Spirituality. Roots, Expressions and Social Consequences*, Cape Town, Double Storey Books.

LOMMEL, Andreas (1967a), *Shamanism : the Beginnings of Art*, New York, McGraw-Hill.

LOMMEL, Andreas (1967b), *The World of the Early Hunters*, Londres, Evelyn, Adams & Mackay.

LOMMEL, Andreas (1997), *The Unambal. A Tribe in Northwest Australia*, Carnavon Gorge, Takarakka Nowan Kas Publications.

LÓPEZ BELANDO, Adolfo (2003), *El Arte en la penumbra. Pictografías y petroglifos en las cavernas del parque nacional del este República Dominicana/Art in the Shadows. Pictographs and Petroglyphs in the Caves of the National Park of the East Dominican Republic*, Santo Domingo, Amigo del Hogar.

LORBLANCHET, Michel (1988), « De l'art pariétal des chasseurs de rennes à l'art rupestre des chasseurs de kangourous », *L'Anthropologie*, 92, 1, p. 271-316.

LORBLANCHET, Michel (1989), « Art préhistorique et art ethnographique », *in* MOHEN, Jean-Pierre (dir.), *Le Temps de la Préhistoire*, Dijon, Éditions Archeologia, Paris, Société préhistorique française, t. I, p. 60-63.

LORBLANCHET, Michel (1990), « Étude des pigments de grottes ornées paléolithiques du Quercy », *Bulletin de la Société des études littéraires, scientifiques et artistiques du Lot*, CXI, 2, p. 93-143.

LORBLANCHET, Michel (1994), « Le mode d'utilisation des sanctuaires paléolithiques », *in* LASHERAS, José Antonio (dir.), *Homenaje al Dr. Joaquín González Echegaray*, Madrid, Ministerio de Cultura, Museo y Centro de Investigación de Altamira, Monografías 17, p. 235-251.

LORBLANCHET, Michel (1999), *La Naissance de l'art. Genèse de l'art préhistorique dans le monde*, Paris, Errance.

LORBLANCHET, Michel (1992), « Diversity and relativity in meaning », *Rock Art Research*, 9, 2, p. 132-133.

LORBLANCHET, Michel et SIEVEKING, Ann (1997), « The Monsters of Pergouset », *Cambridge Archaeological Journal*, 7, 1, p. 37-56.

MACINTOSH, Neil William George (1977), « Beswick Creek cave two decades later : a reappraisal », *in* UCKO, Peter John (dir.), *Form in Indigenous Art. Schematisation in the Art of Aboriginal Australia and Prehistoric Europe*, Canberra, Australian Institute of Aboriginal Studies, Londres, Gerald Duckworth, p. 191-197.

MALINOVSKI, Bronislaw (1944), *A Scientific Theory of Culture and Other Essays*, Chapel Hill, The University of North Carolina Press. Édition française : *Une théorie scientifique de la culture et autres essais*, Paris, Maspero, 1994.

MAY, Sally K. et DOMINGO SANZ, Inés (2010), « Making sense of scenes », *Rock Art Research*, 27, 1, p. 35-42.

MÉROC, Louis et MAZET, Jean (1956), *Cougnac. Grotte peinte*, Stuttgart, W. Kohlhammer Verlag.

NGARJNO, UNGUDMAN, BANGGAL et NYAWARRA (2000), *Gwion Gwion. Secret and sacred pathways of the Ngarinyin aboriginal people of Australia*, Cologne, Könemann Verlag.

NIELSEN, Konrad et NESHEIM, Asbjørn (1956), *Lapp Dictionary*, Oslo, Instituttet for Sammenlignende Kulturforskning, t. IV, Systematic Part.

OTTE, Marcel (2001), *Les Origines de la pensée. Archéologie de la conscience*, Sprimont, Pierre Mardaga éd.

PALES, Léon (1976), *Les Empreintes de pieds humains dans les cavernes. Les empreintes du Réseau Nord de la caverne de Niaux (Ariège)*, Paris, Masson, coll. Archives de l'Institut de paléontologie humaine 36.

PÉQUART, Marthe et Saint-Just (1963), « Grotte du Mas-d'Azil (Ariège). Une nouvelle galerie magdalénienne », *Annales de Paléontologie*, XLIX, p. 257-351.

PERLÈS, Catherine (1977), *Préhistoire du feu*, Paris, Masson.

PERLÈS, Catherine (1992), « André Leroi-Gourhan et le comparatisme », *Les Nouvelles de l'Archéologie*, 48/49, p. 46-47.

PERRIN, Michel (1995), *Le Chamanisme*, Paris, Presses universitaires de France, coll. Que sais-je ?

PRADHAN, Sadasiba (2001), *Rock Art in Orissa*, New Delhi, Aryan Books International.

PRADHAN, Sadasiba (2004), « Ethnographic parallels between rock art and tribal art in Orissa », *The RASI 2004 International Rock Art Congress, Programme and Congress Handbook*, p. 39.

PROUS, André (1994), « L'art rupestre du Brésil », *Préhistoire ariégeoise, Bulletin de la Société préhistorique Ariège-Pyrénées*, XLIV, p. 77-144.

RAPHAEL, Max (1945), *Prehistoric Cave Paintings*, New York, Pantheon Books, The Bollingen Series IV.

REINACH, Salomon (1903), « L'Art et la Magie à propos des peintures et des gravures de l'Âge du Renne », *L'Anthropologie*, XIV, p. 257-266.

REZNIKOFF, Iégor (1987), « Sur la dimension sonore des grottes à peintures du Paléolithique », *Comptes rendus de l'Académie des sciences*, Paris, t. 304, série II/3, p. 153-156, et t. 305, série II, p. 307-310.

REZNIKOFF, Iégor et DAUVOIS, Michel (1988), « La dimension sonore des grottes ornées », *Bulletin de la Société préhistorique française*, 85/8, p. 238-246.

ROBERT, Romain (1953), « Le "Faon à l'Oiseau". Tête de propulseur sculpté du Magdalénien de Bédeilhac », *Préhistoire ariégeoise, Bulletin de la Société préhistorique Ariège-Pyrénées,* VIII, p. 11-18.

ROBERT-LAMBLIN, Joëlle (1996), « Les dernières manifestations du chamanisme au Groenland oriental », *Boréales*, Revue du Centre de recherches inter-nordique, 65-69, p. 115-130.

ROSMAN, Abraham et RUEBEL, Paula (1990), « Structural patterning in Kwakiutl art and ritual », *Man*, 25, p. 620-639.

ROZWADOWSKI, Andrzej (2004), *Symbols through Time. Interpreting the Rock Art of Central Asia*, Poznan, Institute of Eastern Studies, Adam Mickiewicz University.

SAHLY, Ali (1966), *Les Mains mutilées dans l'art préhistorique*, Toulouse, Privat.

SAUVET, Georges et TOSELLO, Gilles (1998), « Le mythe paléolithique de la caverne », *in* SACCO, François et SAUVET, Georges (dir.), *Le Propre de l'homme. Psychanalyse et préhistoire*, Lausanne, Delachaux & Niestlé, p. 55-90.

SAUVET, Georges et WLODARCZYK, André (2008), « Towards a formal grammar of the European Palaeolithic Cave Art », *Rock Art Research*, 25, 2, p. 165-172.

SHARPE, Kevin et VAN GELDER, Leslie (2004), « Children and Paleolithic “art” : Indications from Rouffignac Cave, France », *International Newsletter on Rock Art,* 38, p. 9-17.

SIMONNET, Georges, Louise et Robert (1991), « Le Propulseur au faon de Labastide (Hautes-Pyrénées) », *Préhistoire ariégeoise, Bulletin de la Société préhistorique Ariège-Pyrénées,* XLVI, p. 133-143.

SIMONNET, Robert (1996), « Les techniques de représentation dans la grotte ornée de Labastide (Hautes-Pyrénées) », *in* DELPORTE, Henri et CLOTTES, Jean (dir.), *Pyrénées préhistoriques, arts et sociétés*, Actes du 118e Congrès des Sociétés historiques et scientifiques, 25-29 octobre 1993, Paris, Éditions du CTHS, p. 341-352.

SMITH, Claire (1991), « Female artists : the unrecognized factor in sacred rock art production », *in* BAHN, Paul G. et ROSENFELD, Andree (dir.), *Rock Art and Prehistory*, Oxford, Oxbow Books, Oxbow Monograph 10, p. 45-52.

SMITH, Noel W. (1992), *An Analysis of Ice Age Art : its Psychology and Belief System*, New York, Peter Lang.

STONE, Andrea J. (1995), *Images from the Under World. Naj Tunij and the Tradition of Maya Cave Painting*, Austin, The University of Texas Press.

STONE, Andrea J. (1997), « Precolumbian Cave Utilization in the Maya Area », *in* BONSALL, Clive et TOLAN-SMITH, Christopher (dir.), *The Human Use of Caves*, Oxford, BAR [British Archaeological Reports] International Series 667, p. 201-206.

TESTART, Alain (1986), *Essai sur les fondements de la division sexuelle du travail chez les chasseurs-cueilleurs*, Paris, Éditions de l’EHESS, Cahiers de l’Homme, nouvelle série, XXV.

TESTART, Alain (1991), *Des Mythes et des croyances. Esquisse d’une théorie générale*, Paris, Éditions de la Maison des sciences de l’homme.

TESTART, Alain (1993), *Des Dons et des Dieux. Anthropologie religieuse et sociologie comparative*, Paris, Armand Colin.

TEXIER, Pierre-Jean, PORRAZ, Guillaume, PARKINGTON, John, RIGAUD, Jean-Philippe, POGGENPOEL, Cedric, MILLER, Christopher, TRIBOLO, Chantal, CARTWRIGHT, Caroline, COUDENNEAU, Aude, KLEIN, Richard, STEELE, Teresa, VERNA, Christine (2010), « A Howiesons Poort tradition of engraving ostrich eggshell containers dated to 60,000 years ago at Diepkloof Rock Shelter, South Africa », www.pnas.org/cgi/doi/10.1073/pnas.0913047107

TREFFERT, Darold A. (2009), « Savant-syndrome : an extraordinary condition. A synopsis : past, present, future », *Philosophical Transactions of the Royal Society of Biological Sciences*, Londres, 364, 1522, p. 1351-1357.

TRIOLET, Jérôme et TRIOLET Laurent (2002), *Souterrains et croyances. Mythologie, folklore, cultes, sorcellerie, rites initiatiques*, Rennes, Éditions Ouest-France.

UCKO, Peter J. et ROSENFELD, Andree (1966), *L'Art paléolithique*, Paris, Hachette.

UTRILLA MIRANDA, Pilar (1994), « Campamentos-base, cazaderos y santuarios. Algunos ejemplos del paleolítico peninsular », *in* LASHERAS, José Antonio (dir.), *Homenaje al Dr. Joaquín González Echegaray*, Madrid, Ministerio de Cultura, Museo y Centro de Investigación de Altamira, Monografías 17, p. 97-113.

UTRILLA MIRANDA, Pilar et MARTÍNEZ BEA, Manuel (2008), « Sanctuaires rupestres comme marqueurs d'identité territoriale : sites d'agrégation et animaux "sacrés" », *Préhistoire, Art et Sociétés, Bulletin de la Société préhistorique Ariège-Pyrénées*, LXIII, p. 109-133.

VALDE-NOWAK, Pawel (2003), « Oblazowa Cave : nouvel éclairage pour les mains de Gargas ? », *INORA*, 35, p. 7-10.

VALLOIS, Henri V. (1928), « Étude des empreintes de pieds humains du Tuc d'Audoubert, de Cabrerets et de Ganties », Amsterdam, Congrès international d'anthropologie et d'archéologie préhistoriques, III, p. 328-335.

VAZEILLES, Danièle (1991), *Les Chamanes, maîtres de l'univers*, Paris, Éditions du Cerf.

VIALOU, Denis (1986), *L'Art des grottes en Ariège magdalénienne*, Paris, Éditions du CNRS, XXIIe Supplément à *Gallia Préhistoire*.

VICTOR, Paul-Émile et ROBERT-LAMBLIN, Joëlle (1993), *La Civilisation du phoque. Légendes, rites et croyances des Eskimo d'Ammassalik*, Bayonne, Éditions Raymond Chabaud.

VILLAVERDE BONILLA, Valentín (1994), *Arte paleolítico de la Cova del Parpalló. Estudio de la colección de plaquetas y cantos grabados y pintados*, Valencia, Diputació de València, Servei d'Investigació Prehistòrica.

VITEBSKY, Piers (1995), *Les Chamanes*, Paris, Albin Michel.

VITEBSKY, Piers (1997), « What is a Shaman ? », *Natural History*, 3/97, p. 34-35.

WALLER, Steven J. (1993), « Sound reflection as an explanation for the content and context of rock art », *Rock Art Research*, 10, 2, p. 91-101.

WALLIS, Robert J. (2004), « Art and Shamanism », *in* WALTER, Mariko Namba et FRIDMAN, Eva Jane Neumann (dir.), *Shamanism. An Encyclopedia of World Beliefs, Practices and Culture*, Santa Barbara, ABC-CLIO, t. I, p. 21-30.

WALTER, Mariko Namba et FRIDMAN, Eva Jane Neumann (dir.) (2004), *Shamanism. An Encyclopedia of World Beliefs, Practices and Culture*, 2 vol., Santa Barbara, ABC-CLIO.

WHITE, Randall (2006), « Looking for biological meaning in Cave Art », *American Scientist*, 94, 4.

WHITLEY, David S. (1996), *A Guide to Rock Art Sites : Southern California and Southern Nevada*, Missoula, Mountain Press.

WHITLEY, David S. (2000), *L'Art des chamanes de Californie. Le monde des Amérindiens*, Paris, Éditions du Seuil.

WYLIE, Alison (1989), « Archaeological cables and tacking : the implications of practice for Bernstein's "Options beyond objectivism and relativism" », *Philosophy of the Social Sciences*, 19, p. 1-18.

YOUNG, M. Jane (1992), *Signs from the Ancestors, Zuni Cultural Symbolism and Perceptions of Rock Art*, Albuquerque, University of New Mexico Press.

ZILHÃO, João, ANGELUCCI, Diego E., BADAL GARCÍA, Ernestina, D'ERRICO, Francesco, DANIEL, Floréal, DAYET, Laure, DOUKA, Katerina, HIGHAM, Thomas F. G., MARTÍNEZ SÁNCHEZ, María José, MONTES BERNÁRDEZ, Ricardo, MURCIA MASCARÓS, Sonia, PÉREZ SIRVENT, Carmen, ROLDÁN GARCÍA, Clodoaldo, VANHAEREN, Marian, VILLAVERDE BONILLA, Valentín, WOOD, Rachel, ZAPATAL, Josefina (2010), « Symbolic use of marine shells and mineral pigments by Iberian Neandertals », www.pnas.org/cgi/doi/ 10.1073/pnas. 0914088107

INDEX

DU MÊME AUTEUR

LA GROTTE COSQUER. Peintures et gravures de la caverne engloutie (avec Jean Courtin), Le Seuil, 1994.

LES CAVERNES DE NIAUX. Art préhistorique en Ariège, Le Seuil, coll. Arts rupestres, 1995.

LES CHAMANES DE LA PRÉHISTOIRE. Transe et magie dans les grottes ornées (avec David Lewis-Williams), Le Seuil, coll. Arts rupestres, 1996 ; nouv. éd. coll. Points Histoire (suivi de *Après les chamanes, polémiques et réponses*), 2007.

LA PLUS BELLE HISTOIRE DE L'HOMME. Comment la Terre devint humaine (avec André Langaney, Jean Guilaine et Dominique Simonnet), Le Seuil, coll. La plus belle histoire, 1998 ; rééd. coll. Points, 2000.

VOYAGE EN PRÉHISTOIRE, t. I. L'art des cavernes et des abris, de la découverte à l'interprétation, La Maison des roches, 1998.

VOYAGE EN PRÉHISTOIRE, t. II. La vie et l'art des magdaléniens en Ariège, La Maison des roches, 1999.

LE MUSÉE DES ROCHES. L'art rupestre dans le monde, Le Seuil, 2000.

GRANDES GIRAFES ET FOURMIS VERTES. Petites histoires de préhistoire, La Maison des roches, 2000.

LA GROTTE CHAUVET. L'art des origines (dir.), Le Seuil, coll. Arts rupestres, 2001 ; nouv. éd. coll. Beaux livres, 2010.

LA PRÉHISTOIRE EXPLIQUÉE À MES PETITS-ENFANTS, Le Seuil, 2002.

PASSION PRÉHISTOIRE, La Maison des roches, 2003.

LA GROTTE DE LA VACHE (ARIÈGE). Fouilles Romain Robert (dir., avec Henri Delporte), RMN-Grand Palais / CTHS, 2004.

COSQUER REDÉCOUVERT (avec Jean Courtin et Luc Vanrell), Le Seuil, coll. Arts rupestres, 2005.

LES FÉLINS DE LA GROTTE CHAUVET (avec Marc Azéma), Le Seuil, coll. Arts rupestres, 2005.

L'ART DES CAVERNES PRÉHISTORIQUES, Phaidon, 2008 ; nouv. éd. 2010.

LA FRANCE PRÉHISTORIQUE. Un essai d'histoire (dir.), Gallimard, coll. NRF Essais, 2010.

LES CAVERNES DE NIAUX. Art préhistorique en Ariège-Pyrénées, Errance, 2010.

Composition Nord Compo
Impression Maury-Imprimeur
45330 Malesherbes
le 5 novembre 2012.
Dépôt légal : novembre 2012.
1er dépôt légal dans la collection : novembre 2011.
Numéro d'imprimeur : 178126.

ISBN 978-2-07-044470-0. / Imprimé en France.

250344